Leonardo Lourenço

NOOCÍDIO

Quem sou eu sem os meus problemas?

EDITORA
Labrador

Copyright © 2019 de Leonardo Lourenço
Todos os direitos desta edição reservados à Editora Labrador.

Coordenação editorial
Erika Nakahata

Projeto gráfico, diagramação e capa
Felipe Rosa

Preparação de texto
Carol Coelho Caires

Revisão
Laila Guilherme

Dados Internacionais de Catalogação na Publicação (CIP)
Angélica Ilacqua – CRB-8/7057

Lourenço, Leonardo
  Noocídio : quem sou eu sem os meus problemas? / Leonardo Lourenço. – São Paulo : Labrador, 2019.
  192 p.

ISBN 978-65-5044-028-2

1. Técnicas de autoajuda 2. Crescimento pessoal 3. Mudança de atitude I. Título.

19-2489   CDD 158.1

Índice para catálogo sistemático:
1. Técnicas de autoajuda

Editora Labrador
Diretor editorial: Daniel Pinsky
Rua Dr. José Elias, 520 – Alto da Lapa
05083-030 – São Paulo – SP
+55 (11) 3641-7446
contato@editoralabrador.com.br
www.editoralabrador.com.br
facebook.com/editoralabrador
instagram.com/editoralabrador

A reprodução de qualquer parte desta obra é ilegal e configura uma apropriação indevida dos direitos intelectuais e patrimoniais do autor.

A editora não é responsável pelo conteúdo deste livro. O autor conhece os fatos narrados, pelos quais é responsável, assim como se responsabiliza pelos juízos emitidos.

*... quem quiser salvar sua vida, perdê-la-á,
quem a perder continuamente, encontrará a liberdade.
Só alcança o fundo de si mesmo, só conhece as profundezas
da existência quem deixa tudo, aquele para quem tudo
desapareceu e se viu a sós com a verdade...*
Santo Agostinho

SUMÁRIO

Apresentação — *por Dr. Fernando Gomes Pinto* 9
Prefácio — *por Prof. Dr. Pablo González Blasco* 11
Uma pitada de ciência 19
Condenado 23
Agradecimentos e dedicatória 27
O ritual 29
Aviso de *spoiler* 32
Das lições 34
Voltemos à ciência 45
Arrá!!! 58
Era uma vez... 85
Paternidade 92
Da natureza mutante do cérebro 102
Operar almas 115
Interlúdio 138
Oculto não é sinônimo de inexistente 140
O poder do sutil 152
Noocídio 163
Epílogo 178
Das inspirações 184

APRESENTAÇÃO

Conheci Leonardo na Faculdade de Medicina da Universidade de São Paulo. Durante a graduação, lembro-me dos treinos de rúgbi dos quais participávamos pelo time da Medicina. Como ele era peso-pesado, jogava no "scrum"; eu, mais leve, me aventurava na corrida, típica de quem jogava na "linha". Leonardo não fazia o tipo falante, mas sua presença era marcante e eu sempre gostei dele.

Na residência médica, nosso convívio aumentou. Fui seu "R+". Para quem não está habituado com essa terminologia, um "R+" é um médico residente que está um ou mais anos à frente de outro médico residente do mesmo programa, no caso, um "R–".

Até aqui tudo parece normal, mas na verdade, trata-se de um panorama incrível que a vida me proporcionou. O apelido de Leonardo entre os colegas era "Bomba". Era assim que ele se mostrava, acho que por isso seu apelido pegou. O Bomba comia muito, sempre tinha sacadas inteligentes, tolerava o sistema hierárquico da residência e era temido pelos seus "R–".

Os anos se passaram e, após a conclusão da residência, ouvi sobre a candidatura para deputado que Leonardo pleiteava. Posteriormente fiquei sabendo que tinha emagrecido e, por fim, depois de mais de 10 anos, nos reencontramos na escola dos nossos filhos.

Ele já não era mais a mesma pessoa. Sempre tive um bom relacionamento com Leo, mas notei no nosso reencontro que algo muito profundo tinha acontecido. Algo muito além dos 100 kg a menos.

Mas o que de fato aconteceu? Generosidade e dedicação. Com esmero, ele decidiu colocar sua experiência transformadora e suas ideias no papel e, de uma forma organizada e didática, explicar todo o processo de metamorfose pessoal que passou a vivenciar diariamente. Seu livro é um verdadeiro convite ao autoconhecimento e respeito à vida. Com embasamento neurocientífico, aprendemos técnicas poderosas para evolução pessoal e desenvolvimento do amor ao próximo. Técnicas que foram aprendidas quando deparou, numa noite fatídica, com um grande abismo: o questionamento do seu propósito de vida ou morte.

Leitura indispensável para quem estima a vida, o amor e o sentido da existência. Eu recomendo e desejo a você uma ótima leitura.

Dr. Fernando Gomes Pinto
Neurocirurgião, pesquisador, professor da USP,
escritor e consultor médico da TV

PREFÁCIO

Tudo começou há quase dois anos, no final de uma palestra que proferi na Associação Paulista de Medicina (APM), a convite de um grupo emergente preocupado com o tema que está na crista da onda: "A Humanização da Medicina e a Medicina sem pressa". Minha aula durou pouco mais de meia hora, e salpiquei a projeção com algumas cenas de filmes – metodologia da qual não quero nem posso mais prescindir – para tentar provocar a reflexão. Sim, reflexão, pois o tema da Humanização da Medicina não é uma questão de protocolos, nem de estratégias: no final das contas, centra-se na pessoa. E essa, a pessoa, ou seja, nós mesmos, nem sempre está disposta a deixar-se humanizar. Daí a imperiosa necessidade de fazer as pessoas refletirem para que decidam se vão embarcar nessa empreitada ou não.

Talvez por levar o desafio até o ponto álgido e aliado a um amigo em comum que tínhamos, enquanto recolhia meu material no final da palestra, Leonardo Lourenço aproximou-se de mim, apresentou-se e me disse que gostaria de conversar com calma sobre estes temas. Identifiquei-o imediatamente como o brilhante colega de quem nosso amigo comum tinha falado. Combinamos de nos encontrar nas reuniões mensais sobre Educação e Humanismo Médico que coordeno na SOBRAMFA, instituição que acompanho desde o começo, há mais de 25 anos.

Leonardo passou a ser um *habitué* das reuniões humanistas (um *workshop* altamente interativo), onde, após observar atentamente as intervenções dos participantes, sempre nos brindava no final com considerações que cristalizavam em exemplos reais da sua própria história de vida. Cresceu nossa amizade, aprendi a admirar seus pontos de vista, começamos a alinhavar projetos que pudessem ajudar outros colegas nessa trajetória que ele mesmo estava percorrendo: a de reconstruir o ser humano, até o momento deficiente, que tem de sustentar o médico brilhante e atualizado.

Há poucas semanas, Leonardo espetou-me: "Estou acabando de escrever um livro. Gostaria que o lesse e ficaria honrado de ter seu prefácio". Sorri afirmativamente, e o livro chegou ao meu e-mail poucos dias depois. Li em várias horas, quase de uma tacada. Era-me muito familiar, pois grande parte do conteúdo eu já conhecia pelas nossas conversas informais e pelos comentários que o nosso autor colocava nas reuniões humanistas. Porque a presente obra é, antes de mais nada, a descrição da história de vida do autor, das descobertas e surpresas, dos pontos de inflexão a que submeteu seu percurso vital.

É a narrativa pessoal que disparou todas estas reflexões no eco da luta contra a obesidade, contra a arrogância, contra o solene desprezo pelos outros – pacientes e familiares incluídos – contra deixar de ser o umbigo do mundo. Não falto ao respeito com essas expressões, que são benignas e mitigadas comparadas à autocrítica que o autor expõe com coragem, sem tapumes, de peito aberto. Somente por isso, é preciso saudar esta obra com admiração: pela alta densidade de franqueza e sinceridade.

Quem não tem medo nem vergonha de se expor à própria crítica, já percorreu um longo caminho para contemplar o universo que nos cerca. Arremete contra falsos paradigmas do ensino médico reproduzindo frases de gurus consagrados: "Não perca tempo com historinhas de pacientes, centre-se no aspecto médico". Pergunta-se: "Afinal, o que é o aspecto médico? O que consigo medir e tocar? Vamos fatiar o paciente em virtude do tal aspecto médico para reclamar depois da segmentação da medicina, da incapacidade de ver o paciente – o outro! – como o que realmente é: uma pessoa, um todo indivisível? Eu aprendi que tocar cirurgicamente um cérebro não é nada, absolutamente nada, comparado a tocar a alma e o coração das pessoas. Hoje eu procuro utilizar a medicina muito mais como uma ferramenta para ajudar os outros do que troféu para mim mesmo". Confesso que, lendo estas linhas, lembrei-me de outro neurocirurgião, famoso professor que, após muitos anos de prática, escreveu um livro magnífico mostrando seus equívocos e como construiu seu caminho de volta para cuidar do paciente com empatia.[1]

Leonardo não aborda nenhum dos temas sem antes escudrinhar as próprias fragilidades, pois é a reflexão iluminada sobre elas que o conduz às conclusões que aqui plasma. A reconquista da família: "No início, mais do que estar casado com uma pessoa, eu estava mais mesmo era casado com o meu próprio sistema de crenças". O saber prescindir do ibope e da opinião alheia que paralisa as mudanças, porque é fato que nos preocupamos com o que os outros vão pensar, com ter que dar explicações, elementos todos que são barreiras para uma verdadeira mudança. Reconhecer os medos: "Uma sensação de medo da morte 'moral'; agora já não se tratava mais de um legítimo medo de morrer fisicamente, mas sim de uma trágica morte 'de sentido', uma morte 'da alma'". O encontro com a verdadeira vocação: "Descobri que, antes de ser um bom neurocirurgião, há que ser um bom médico. Mas, antes de ser um bom médico, há que ser um bom ser humano. Esta é a minha jornada atual: a de tentar recompor elementos ignorados na composição de mim mesmo".

O nome – NOOCÍDIO – surpreendeu-me; apenas em parte, porque o subtítulo me é familiar, altamente sugestivo: "Quem sou eu sem os meus problemas?". Impossível deixar de evocar o filósofo espanhol Ortega y Gasset na sua conhecida afirmação: "Eu sou eu e as minhas circunstâncias". Frase muito citada, mas a maior parte das vezes de modo incompleto, pois a frase continua: "... e se não salvo ela [a circunstância], não me salvo a mim". Coloca-se na cultura popular a circunstância como uma desculpa, e não como um desafio que é preciso salvar, redimir. Por isso, acrescenta Ortega: "Temos que buscar para nossa circunstância o que tem de peculiaridade, o lugar acertado na imensa perspectiva do mundo. Não nos deter diante dos valores fixos, mas conquistar na nossa vida individual o local oportuno entre eles. Em resumo: a reabsorção da circunstância é o destino concreto do homem".[2]

---

1 MARSH, Henry. *Sem causar mal: histórias de vida, morte e neurocirurgia*. São Paulo: nVersos, 2016. 287 p.
2 ORTEGA Y GASSET, José. Meditaciones del Quijote. *Revista de Occidente*. Madrid: Alianza Editorial, 1981. 165 p.

Os problemas de que o autor nos fala são os que embaçam os contornos do eu, circunstâncias que não se salvam, recurso para delegar responsabilidades que cabe a cada um resolver. Apaixonante tema que cria um verdadeiro alto voltaico de reflexão entre as considerações de Leonardo e o pensamento vitalista de Ortega. Recentemente, li um livro de Julián Marías, discípulo direto de Ortega, em que amplia este pensamento de modo magnífico, um verdadeiro apelo à responsabilidade de cada um. "A vida se move entre dois elementos que não se escolhem: um deles é a circunstância que nos é imposta, com a qual nos deparamos, querendo ou não; o outro é a vocação, que não nos é imposta, porque frente a ela somos livres, mas nos é proposta, e, se somos infiéis a ela, uma vez que a descobrimos, a consequência é a inautenticidade, a falsidade da nossa vida".[3]

A trajetória da conversão do autor encerra muitos e variados recados que ele se esforça por descrever didaticamente, no intuito de poder ajudar outros. Assim, sublinha a importância da narrativa para poder reconstruir a própria biografia que diz ser maleável: revisitar o passado, sem mudar os fatos, mas com outro olhar, com nova empatia para com nós mesmos. Exorta a viver o presente sem se iludir com o futuro, apontando que "a meta cristalizada na nossa mente serve como uma jaula do nosso futuro, drenando todos os nossos recursos físicos e mentais para tentar entregar o que foi planejado. Onde está a sua meta, no futuro? Ou no seu coração?".

Os conhecimentos de Neurociências se fazem presentes – e necessários – nestas mudanças que postula. A neuroplasticidade, conceito muito mais amplo do que normalmente admitido, nos permite aprender com o passado e desprender-nos desse modo de pensar e ser – desse eu! –, lastro enorme que é preciso sacrificar: a morte do modo de pensar, o NOOCÍDIO. Aborda-se a evolução do ser humano e a revolução cognitiva através da narração de histórias, que abre as portas para essa outra revolução-evolução pessoal, de que o autor é um exemplo.

E o livro avança para o campo de atuação profissional, postulando que as abordagens clássicas em neurocirurgia poderiam ser complementadas,

---
3   MARÍAS, Julián. *España inteligible: razón histórica de las españas.* Madrid: Alianza Editorial, 2014. 421 p.

com melhores resultados, com uma postura humanística. Sou obrigado a reconhecer a coragem de Leonardo neste notável esforço e reflexão de alguém que tem por ofício médico um campo de grande especificidade, de base anatômica e fisiológica – enfim, um campo de algo que aparentemente não tem ligações explícitas com o campo afetivo. Como operar um tumor cerebral de modo humanístico, humano? Essa é a pergunta que o nosso autor se faz, e da qual não quer fugir, porque insiste em colocar o paciente – não o tumor – no papel de protagonista.

Releio o escrito até aqui e entendo que é momento de encerrar. E de fazer uma advertência pessoal, não a modo de crítica, mas sim como um interrogante necessário. Ao mesmo tempo que me alegro e parabenizo meu amigo autor por esta trajetória que lhe conduziu à sua epifania pessoal – deixar de ser quem era para se transformar em outro –, os anos e a experiência da condição humana (como diria Hannah Arendt[4]) fazem com que me pergunte: é possível que as fraquezas humanas se superem somente com neuroplasticidade? O processo descrito por Leonardo é claro, mas, uma vez desterrado aquele eu que me aprisiona, o que vai ocupar o seu lugar? Não apenas conquistar, mas colonizar, sociabilizar, enfim, assentar-se de um modo estável. O vácuo moral é instável, e o princípio de Arquimedes também é vigente nestas lides: onde um corpo sai, tem de entrar outro, e vice-versa. E se não o colocamos voluntariamente – com esforço – é possível que ocorra assentamento de novos inquilinos indesejáveis.

De algum modo, o autor aponta que para tal é preferível ter entusiasmo em vez de expectativas. E novamente Ortega vem à minha mente quando escreve: "O entusiasmo é o poder que nos multiplica e que nos leva a intimar com as coisas, a ser inteiros para cada uma delas e a viver durante um tempo sua vida peculiar".[5] O entusiasmo nos aproxima das coisas, da vida, do novo ideal, mas por algum tempo apenas. É preciso algo a mais para ter estabilidade nas novas decisões.

---

4 ARENDT, Hannah. *A condição humana*. Rio de Janeiro: Forense Universitária, 2017. 400 p.
5 ORTEGA Y GASSET, José: Meditación del pueblo joven y otros ensayos sobre América. *Revista de Occidente*, Madrid, p. 37, 1981.

Leonardo comenta que o amor não pode ser dependente, não combina com a conjunção condicional "se". A frase de Santo Agostinho traz uma luz sobre este ponto: "Ama e faz o que quiseres". Mas de que amor nos fala Agostinho, qual é o amor não condicionado de Leonardo? Um dos meus textos favoritos de Ortega[6] recolhe um pensamento que pode ajudar neste importante dilema: "Santo Agostinho, um dos homens que mais profundamente pensaram sobre o amor, consegue liberar-se dessa interpretação que faz do amor um desejo ou simples apetite. E assim diz de modo lírico: *Amor meus, pondus meum*. O meu amor é o meu peso, minha densidade. Amor é gravitação em direção ao amado". Quem sabe o amor, em lei gravitacional, que nos prende e nos faz amar a decisão de mudança, seja a verdadeira compensação – em termos físicos e morais – para salvar o vácuo moral de Arquimedes na procura de nós mesmos.

Meu caro amigo e colega Leonardo. Um bravo à sua coragem que levou a descrever nesta obra sua trajetória de mudança. Aqui estão os meus braços abertos para colaborar com você na mudança de muitos outros, algo que ambos almejamos. E uma advertência: olharmos com paciência e compreensão para aqueles que, mesmo lendo e digerindo as palavras que aqui você recolhe, enfrentam dificuldades e obstáculos para a pessoal reconstrução. Não é fácil, embora todos desejem. Marañón, o grande médico humanista, dizia que "somente conhece os caminhos retos quem já andou alguma vez pelos tortos, e a melhor ajuda não é a do homem impoluto, mas a daquele que tem na alma as cicatrizes de muitas retificações".[7] As cicatrizes das nossas pessoais correções são credenciais que abrem passo ao carinho – ao amor que é peso e densidade – para estimular a muitos.

Prof. Dr. Pablo González Blasco
Diretor Científico da SOBRAMFA – Educação Médica e Humanismo
www.sobramfa.com.br

---

6 ORTEGA Y GASSET, José. Estudios sobre el Amor. *Revista de Occidente*, Madrid, p. 55.
7 MARAÑÓN, Gregorio: Los deberes olvidados. In: *Obras completas*, vol. III. Madrid: Espasa Calpe, 1967.

Das minhas pedras

*Algumas pedras me machucaram,
Outras pedras me atrasaram,
Algumas pedras me desviaram,
Outras pedras até me derrubaram.*

*Com as minhas pedras eu não fiz poesia, como Drummond,
             [nem construí castelos, como Quintana.
Com minhas pedras eu APRENDI A ESCALAR.*

Das minhas pedras... Ah, das minhas pedras, eu me fiz!

UMA PITADA DE CIÊNCIA

Conhece-te a ti mesmo e conhecerás o universo e os deuses.
Sócrates

A cada dia são mais empolgantes as descobertas e os avanços em relação a uma compreensão mais profunda acerca do funcionamento do cérebro e da mente humana. Quanto mais pautamos o nosso viver em procedimentos automáticos, teremos mais do mesmo para as nossas próprias vidas. Por que eu tenho sempre um determinado comportamento repetitivo? Por que eu não consigo isso ou aquilo? Por que eu, volta e meia, vejo-me repetindo frases e atitudes inadequadas dos meus pais? Por que eu não consigo cultivar hábitos saudáveis de forma permanente?

A resposta para estas e outras perguntas cruciais, que ditam a sequência primordial de eventos e acontecimentos de nossa vida, deve, necessariamente, passar pelo conhecimento mais detido e adequado de como funcionam o nosso cérebro e nossa mente.

Existem quatro pilares fundamentais, com amplas implicações práticas, envolvendo o conhecimento neurocientífico a respeito do "complexo cérebro-mente".

O primeiro deles é a estruturação física, biológica, anatômica e química do cérebro. O período mais crítico para formação, crescimento e desenvolvimento do nosso cérebro ocorre na fase de vida compreendida entre a barriga de nossas mães (fase intrauterina) e o período da adolescência. Ignorar esse fato biológico básico, fazendo vistas grossas para esse período crucial do nosso histórico pessoal de vida, é como querer operar um cérebro de alguém sem antes sentar a bunda numa faculdade de Medicina. Esse pedaço importantíssimo de nossa história individual impacta sobremaneira como o "complexo cérebro-mente" funciona em nossa vida adulta. Eventos emblemáticos ocorridos durante a fase entre o <u>útero de nossas mães até a adolescência</u> guardam informações muito relevantes sobre como e por que agimos e nos comportamos dessa ou daquela maneira.

O segundo aspecto envolve o conhecimento antropológico do cérebro do *Homo sapiens*. A mente humana é fundamentalmente guiada por símbolos e ícones. Desde o advento da chamada "revolução cognitiva", ocorrida no cérebro dos seres humanos há cerca de 70 mil anos, passamos a nos agregar coletivamente em grandes clãs, grupos, comunidades, sociedades e civilizações. Todo esse processo evolutivo humano foi, em grande medida, impulsionado por meio de <u>narrativas</u>: passamos a contar histórias uns aos outros, e a credibilidade compartilhada destas mesmas narrativas foi o combustível principal para que nos tornássemos cada vez mais sociáveis e gregários. Alguns antropólogos chegam a definir a espécie humana como "bípedes que usam as mãos e contam histórias". A cola oculta que nos une são os símbolos, as narrativas, os ícones e as histórias que compartilhamos coletivamente.

O terceiro pilar envolve o que se chama tecnicamente de <u>neuroplasticidade</u> cerebral. Nosso cérebro é altamente "neuroflexível" (muito mais do que podíamos imaginar até algumas décadas atrás). O que isso significa? A imensa maioria das conexões sinápticas dos neurônios pode ser completamente refeita até o último dia de nossas vidas. Em outras palavras, a comunicação (a "conversa") interna entre as células nervosas que formam nossos pensamentos pode ser amplamente transformada para criar outros circuitos e caminhos de informações dentro de nosso crânio. Assim, podemos mudar profundamente nossos padrões de hábitos, comportamentos repetitivos e escolhas automáticas de respostas.

O quarto pilar neurocientífico versa sobre como nem todos os nossos pensamentos acontecem do mesmo modo. Estamos corriqueiramente acostumados e identificados com nosso pensamento consciente-racional-verbal. Esta forma de processamento mental (que nos é tão familiar), contudo, não é a única, tampouco a predominante a acontecer dentro de nossa cabeça.

Existem basicamente duas formas de processamento de atividades mentais: o sistema consciente e o sistema inconsciente. Qual deles você imagina que detém o controle principal de nossas escolhas, comportamentos, valores, personalidade e hábitos? É... Eu também gostaria muito que fosse o nosso pensamento consciente-racional, mas infelizmente não é o caso. O sistema de operação mental subconsciente é quem é o patrão. Em outras palavras, em geral não temos consciência plena de onde ficam e como se operam os botões mais importantes do painel de comando central de nossa vida. Nem tudo, porém, está perdido, desde que saibamos como "falar a língua" da parte inconsciente da nossa mente. Tal sistema de pensamento responde apenas a "canais de comunicação" aos quais não costumamos dar muita importância: sentimentos e emoções, sonhos e pesadelos, rituais, corpo, símbolos, ícones e metáforas.

A compreensão desses quatro fundamentos pode nos municiar com instrumentos práticos bem interessantes para uma evolução e um desenvolvimento pessoais prósperos e positivos.

As chaves críticas para esse fim talvez residam nos conceitos destacados sublinhados acima: útero da mãe até a adolescência, narrativa, neuroplasticidade e inconsciente. Vamos tentar agrupar os quatro pilares da forma mais clara possível: utilizar a linguagem adequada ao **inconsciente** com o objetivo de "reescrever" a **narrativa** icônica da minha história pessoal de vida, especialmente da época que vai do **útero da minha mãe até a minha adolescência**, para poder ativar mecanismos profundos de **neuroplasticidade** cerebral e, enfim, mudar de forma significativa a minha vida.

Abrir mão

Você conhece a origem de expressões como "largar a mão", "não botar a mão em cumbuca" ou "abrir mão"? De todas as vertentes possíveis para explicar de onde surgiram tais expressões, a que mais gosto remonta a uma forma muita antiga de capturar macacos, surgida possivelmente na África. Essa técnica consiste na colocação de uma banana dentro de uma cumbuca amarrada a uma árvore. A cumbuca possui uma abertura bem estreita, suficiente para que se passe apenas uma mão vazia e fechada de um macaco. Ao colocar a mão dentro da armadilha para pegar a banana, o macaco não consegue retirar a própria mão segurando a banana ao mesmo tempo. O que acontece quando o caçador se aproxima? O macaco **não larga a banana**! Exatamente isso que você leu: o macaco, de posse garantida do alimento, não solta a banana. O macaco acaba, assim, por se deixar capturar, pois não consegue desapegar-se da banana. Sem notar que sua própria vida depende, neste instante crucial, muito mais de um ato de desapego do que de um ato de apego, o macaco sela tragicamente seu próprio destino.

Muitos estudos científicos sobre entendimento cerebral são conduzidos com a utilização de primatas como cobaias. A ciência genética aponta uma diferença de meramente cerca de 1% entre o genoma humano e o genoma de um chimpanzé. Até que ponto o nosso comportamento humano, tido como naturalmente mais evoluído, difere de uma situação como essa da "mão na cumbuca"?

A que costumamos nos agarrar a ponto de arriscar muitas vezes nossa vida, até mesmo sem perceber? A que costumamos nos prender, muitas vezes sem notar, de forma quase magnética, a ponto de sacrificar nossa própria liberdade e nossa própria felicidade? Qual é a sua banana? Existiriam cumbucas invisíveis tolhendo o nosso livre-arbítrio? Como escapar das iscas e bananas mortais? E se estivermos já presos com a mão na cumbuca, como faríamos para "largar a mão"? A sequência do livro presta-se a tentar esclarecer essas perguntas na prática e ao detalhamento dos quatro pilares neurocientíficos mencionados, por meio do uso extenso de casos e histórias reais.

Espero que a leitura lhe seja proveitosa. Grato.

CONDENADO

*Até você se tornar consciente, o inconsciente
irá dirigir sua vida e você vai chamá-lo de destino.*
Carl Gustav Jung

Eu nasci gordo, pesando mais de quatro quilos (um peso bastante elevado para um recém-nascido). Sou descendente de uma família com muitas pessoas obesas, com forte tendência hereditária para a obesidade. E eu gosto bastante de comer, sempre gostei. Comida, na minha família, sempre foi assunto bastante sério e valorizado, e muitas e muitas vezes tornava-se o centro das atenções. No ambiente familiar em que fui criado, não era raro que afeto e carinho fossem expressos e comunicados através da comida: um hambúrguer no lugar de um abraço, uma lasanha em vez de um beijo ou um sorvete em substituição a um colo. Todos esses ingredientes de base serviram como fermento para eu ficar obeso na maior parte da minha vida.

Dizem que, quando eu era bebê, chegava a comer de três a quatro papinhas prontas industrializadas por refeição, quando o aceitável seria apenas uma. Durante grande parte da minha infância, eu jamais iria dormir sem antes devorar um (ou mais) mingau(s) reforçado(s), extremamente açucarado(s) e pastosamente consistente(s), ou, na ausência deste(s), uma mistura explosivamente calórica de leite condensado com achocolatado em pó. Nessa minha indulgente infância, não era infrequente que, entre o jantar (fartamente ingerido e sem nunca deixar vestígios no prato) e o "mingauzinho" noturno, se algum estímulo vindo da TV a partir de algum programa ou propaganda despertasse a minha "fome" por algo inusitado (como um sanduíche ou uma bolacha, por exemplo), eu invariavelmente não deixaria de satisfazer esse "súbito desejo". Há um episódio – que já até virou anedota clássica em rodas de conversa em eventos e encontros familiares – do dia em que, ainda criança, eu comi 23 pastéis caseiros de lanche da tarde num sábado qualquer dos anos 1980. Durante um intercâmbio fora do país, na minha pré-adolescência, eu me lembro de me esbaldar durante as tardes de sábado e domingo, entrando, comendo e saindo, quase que numa sequência ininterrupta, em uma série de lanchonetes *fast-food* de marcas diversas que ainda não estavam presentes no Brasil à época. Era como se fosse o meu parque de diversões durante o tempo em que morei fora. Não foram poucas as ocasiões em que me tranquei para comer escondido no banheiro para evitar represálias, quando eu passava muito além dos limites alimentares até para os largos padrões da minha família. Já adulto, um dos meus hábitos mais "nutricionalmente" emblemáticos era o de quase religiosa e diariamente dar uma passadinha em algum *drive--thru* de alguma lanchonete *fast-food* que estivesse no meu caminho para "fazer uma boquinha" no carro mesmo, isso além das refeições formais regulamentares tradicionais de café da manhã, almoço e jantar.

Fui sistematicamente engordando até chegar ao ápice de cento e noventa quilos (190 kg!!!) aos 33 anos de idade (tenho aproximadamente 1,86 m de altura). Cara, como é sofrido carregar o peso de duas pessoas em um único corpo! E não se trata apenas do fardo físico em si, já que como acompanhamentos obtive junto: *bullying* durante toda a infância, baixa autoestima, dificuldade absurda para encontrar roupas do meu tamanho, intestino completamente desregulado (diarreias alternadas com prisão de ventre), cansaço, irritação constante e uma lista interminável de agruras.

Certa noite, acordei sufocado, sem conseguir respirar, completamente sem ar e com uma terrível sensação de morte iminente. Tomei um baita susto: eu estava morrendo afogado na minha própria gordura aos 33 anos de idade! Fiquei desesperado ao pensar seriamente na minha própria morte pela primeira vez na minha vida. Uma situação que não deixava de ser uma grande ironia, já que, mesmo atuando como médico e tendo contato rotineiro com a morte (dos outros), eu nunca havia levado a sério a minha própria finitude!

Há uma enorme lista de argumentos lógicos plausíveis para que uma pessoa não seja gorda: viver por mais tempo, evitar inúmeras doenças, ficar esteticamente mais apresentável, ter mais fôlego e energia etc. Ocorre que, como veremos mais adiante ao longo deste livro, argumentos racionais e alface não curam a obesidade.

"O que fazer?", pensei eu. Já havia tentado de tudo para emagrecer, e nada dava certo! Não foram poucas as dietas que tentara antes: dieta da sopa, acompanhamento endocrinológico e nutricional, dieta das proteínas e *low carb*, dieta do abacaxi, dieta dos pontos, dietas hipocalóricas e restritivas, dietas escalonadas e muitas outras... Nenhuma surtiu qualquer resultado satisfatório de longo prazo comigo.

Detalhe importante: eu fazia atividade física rotineira de condicionamento em academias de ginástica, transpirava e suava em bicas andando vigorosamente em esteiras elétricas, mas não conseguia perder um grama sequer! Cheguei, inclusive, a ter uma fratura no pé em decorrência da sobrecarga excessiva do peso do meu corpo associado à atividade de caminhar rapidamente na esteira elétrica da academia de ginástica. Além de já ser difícil encontrar roupas adequadas ao meu enorme tamanho prontamente disponíveis nos vestiários dos centros cirúrgicos dos hospitais (já que atuo como médico neurocirurgião), lembro-me até hoje do transtorno que foi para eu conseguir operar durante o período em que tive que utilizar uma bota imobilizadora (tipo "*robofoot*") em um dos pés.

"O que fazer?", a maldita pergunta que já não podia ser ignorada ou calada em minha vida. Àquela altura, eu já não vislumbrava qualquer outra saída que não fosse ser submetido a uma cirurgia bariátrica de redução de estômago. Com bastante medo de tomar uma decisão como essa, decidi consultar minha esposa. A resposta dela: "Por que você não tenta algo menos invasivo antes? Se não conseguir, você parte para a cirurgia".

Baseado na ponderação dela e no meu receio de ser submetido a uma cirurgia bariátrica, fui obrigado a submergir numa conversa íntima e honesta comigo mesmo (tipo conversa de doido mesmo):

"Mas que diabos eu vou fazer se já tentei de tudo para emagrecer e nada deu certo?".

"Sinceramente, eu morro de medo de ser operado (uma ironia pessoal, como no ditado do espeto de pau em casa de ferreiro…)".

"Honestamente, eu não consigo ficar sem comer coisas saborosas, como pizza, hambúrguer, chocolate, sorvete, pastel etc.".

"Tô danado…".

"Pensa, pensa, pensa, pensa…".

"Se eu não quero me submeter à cirurgia de redução de estômago, se eu não consigo perder peso com atividade física nem consigo mexer na **qualidade** do que eu como… bem, só resta uma coisa a fazer: mexer na **quantidade** de comida que eu como".

Daí, como que por um *insight*, decidi, no dia 8 de dezembro de 2010, começar a comer tudo pela metade. Esta foi a única coisa que me surgiu à época como opção para algo que poderia ser potencialmente mantido por tempo indeterminado, um tipo de mudança estrutural real que pudesse ser definitiva e duradoura e não apenas uma perfumaria superficial transitória (como todas as minhas outras tentativas anteriores de emagrecer). Eu precisaria passar a **SER** a mudança em longo prazo que eu desejava.

AGRADECIMENTOS E DEDICATÓRIA

Embora ninguém possa voltar atrás e fazer um novo começo, qualquer um pode começar agora e fazer um novo fim.
Francisco do Espírito Santo Neto

Sou grato a toda a minha família (tanto a de origem quanto a constituída), que, ora por vias involuntárias, ora por vias voluntárias, teve papel fundamental para alavancar as minhas transformações pessoais que culminaram na confecção deste livro.

Agradeço ao estímulo de todos aqueles amigos que me incentivaram a produzir esta obra (são tantos que não consigo nomear todos). Confesso que este foi o sinal mais potente a me impelir para a execução deste trabalho.

Dedico este livro prioritariamente aos meus filhos, Lais e Olavo, aos amigos deles e às crianças em geral, como símbolo das gerações vindouras, o esplendoroso fluxo contínuo de vida do qual todos nós temos a oportunidade de ser parte.

Um obrigado especial a todos os pacientes, amigos e familiares que concordaram em expor e compartilhar suas respectivas histórias pessoais, narrativas essas que são a alma deste livro.

Meu muito obrigado a todos aqueles que tiveram a paciência para ler o manuscrito e fazer ótimas críticas e sugestões, e também aos amigos que se dispuseram a me presentear com os excelentes comentários nas orelhas, na quarta capa e no prefácio.

Não gostaria de deixar de mencionar a importância da infinidade de autores que influenciaram o meu pensamento, através de livros, ensaios e obras diversas que tive a oportunidade de ler e me abastecer intelectualmente.

Etiqueta × Gratidão

Até pouco tempo atrás, eu imaginava que estes dois conceitos eram praticamente iguais: *etiqueta* e *gratidão*, como se fossem quase sinônimos. Mas observem que etiqueta e gratidão são coisas bem diferentes. Falar "obrigado" por receber um presente ou ser contemplado com um favor é sinal de educação e boa convivência social. Trata-se de algo que se pode induzir alguém a fazer de fora para dentro. Deixa-nos "bem na fita". Contudo, gratidão é algo que vai muito além disso. Gratidão é espontânea. Gratidão dificilmente pode ser ensinada. Gratidão emerge de dentro para louvar a importância de alguém SER em nossas vidas. Etiqueta serve para agradecer ao TER algo do outro. Gratidão me expõe a reverenciar a importância de alguém "SER" na minha vida.

O RITUAL

Nunca é tarde para ser o que você poderia ter sido.
George Eliot

A partir daquele dia emblemático para mim, comecei a comer pela metade tudo o que sempre estivera acostumado a comer. Se antes eu costumava comer uma pizza inteira em uma única refeição, passei a comer somente meia pizza.

Eu continuei a frequentar os mesmos restaurantes *fast-food* com a mesma regularidade a que estava habituado, mas, no lugar de devorar três grandes hambúrgueres, passei a comer "apenas" um hambúrguer e meio. Assim, eu comprava dois lanches e cortava um deles quase que geometricamente ao meio para poder comer apenas a metade do que eu estivera antes acostumado.

Continuei a frequentar normalmente os mesmos restaurantes *self-service* por quilo de antes. Eu "montava a montanha" de prato que sempre estivera acostumado a fazer, mas passei a comer somente a metade de cada coisa que pegava, deixando o restante de lado.

Em churrascarias no estilo rodízio, eu mandava descer todos os cortes de carne que sempre gostara de devorar, mas passei a comer apenas metade de cada pedaço.

Eu me lembro, naquela época, de um dia ir a um jantar bem chique em um restaurante de alta gastronomia e solicitar um requintado "menu degustação" especial do chef-celebridade da casa. Tratava-se de uma enorme sequência de vários pratos sofisticados servidos desde o "couvert" até a sobremesa. Não me intimidei, segui meu plano à risca. Fui deliberadamente deixando metade da comida (muito apetitosa, por sinal) de cada prato. A certa altura do jantar, o chef apareceu à mesa e me indagou se havia alguma coisa errada com a comida. Eu respondi, com um sorriso meio amarelo, que não havia nada de errado, muito pelo contrário, que estava tudo muito bom mesmo, mas que eu "tinha o hábito de comer muito pouquinho mesmo". Ele, com seu próprio semblante sem graça, retirou-se de volta para a cozinha do restaurante. Eu simplesmente não posso imaginar o que deve ter passado na cabeça dele ao ver um gordo enorme jantando em seu restaurante premiado, desperdiçando metade de toda a comida e, ainda por cima, dizendo um absurdo como: "Estou acostumado a comer pouquinho". Talvez ele tenha pensado que eu fosse maluco ou alguém tentando sabotar a fama dele.

Eu, na verdade, estava pouco me esquentando para o que os outros pensavam a respeito da minha nova "técnica alimentar". Afinal, não eram os outros que transpiravam sempre, não eram os outros que acordavam sufocados pela falta de ar durante a madrugada, não eram os outros que não encontravam roupas de tamanho adequado, que ouviam piadinhas indiscretas, que tinham assaduras entre as coxas, que se sentiam incapazes de controlar o próprio corpo...

Eu olhava para aquela comida toda deixada de lado e apenas pensava: "Antes desperdiçar tudo isso no lixo do que nas minhas próprias coronárias ou nas artérias do meu cérebro" (como sempre fizera durante toda a minha vida até então).

Se houvesse alguém disposto a servir-se da metade da comida que eu deixava de lado ou se eu conseguisse levar para viagem para posterior consumo próprio ou de outrem, ótimo; caso contrário, tudo ia para o lixo mesmo.

Como acontece com todo e qualquer método de emagrecimento, obviamente, eu fui perdendo peso. O que foi peculiar e único nessa situação, porém, é que, desta vez, foi dando certo por muito mais tempo e, para minha grata surpresa, de forma definitiva! Emagreci quase cem quilogramas (100 kg)! Praticamente metade de mim mesmo desapareceu. Eu consegui curar-me da obesidade de forma permanente através dessa técnica![8]

---

[8] Caso você tenha curiosidade de ver fotos de "antes e depois", como eu era e como eu fiquei, existe um vídeo de nome "Obesidade e Pensamento – Minha História Pessoal", disponível no Canal de YouTube "Dr. Leonardo Neuro", citado ao final deste livro, na seção "Das inspirações".

AVISO DE *SPOILER*

Não, este não é um livro sobre emagrecimento nem sobre como perder peso milagrosamente. Sinto muito. Desculpe-me, mas não sou nutrólogo, nem nutricionista, nem endocrinologista para ousar sugerir a você como lidar com sua alimentação ou com seu sobrepeso.

Dietas restritivas emagrecem? Sim. Atividade física intensa emagrece? Sim. Medicamentos emagrecem? Sim. Cirurgia bariátrica emagrece? Sim. Basta, porém, interromper a dieta para voltar a engordar. Basta parar com a atividade física para voltar a engordar. Basta suspender a medicação para voltar a engordar. E não existe cirurgia de redução de estômago que resista a bisnagas de leite condensado. Eu não expresso isso para desmerecer qualquer desses instrumentos úteis e legítimos para o combate à obesidade. Não é essa minha intenção. O meu ponto aqui é lançar luz para algo que, muitas vezes, adormece oculto por trás de todos esses fatores: o programa mental invisível e inercial a que estamos presos sem notar.

A questão que eu levanto aqui é: qual era o PROPÓSITO da minha obesidade? A que UTILIDADE e FINALIDADE mentais a minha obesidade servia?

A técnica que eu utilizei provavelmente só serve para mim mesmo. Por quê? Porque ela foi "feita sob medida" para o meu histórico pessoal de vida. A técnica, por sorte minha, caiu como uma luva para reprogramar meus moldes e modelos mentais.

A ideia geral deste livro, portanto, é tratar dos aspectos mentais e cerebrais que nos aprisionam em múltiplas frentes de nossa vida, e como podemos, a partir do entendimento de alguns pontos importantes deles, remodelar a estrutura mental dos pensamentos em conjunto com a reformatação físico-estrutural de nosso cérebro.

DAS LIÇÕES

A linguagem correta

Para quem só sabe usar martelo, todo problema é um prego.
Abraham Maslow

Eu cresci em um ambiente familiar em que deixar comida no prato era o mesmo que matar uma criança na África ou apontar um revólver para a cabeça do cozinheiro. O desperdício era considerado quase um crime capital.

O que eu notei, então, foi que o **ritual** de ir deixando parte da comida **visualmente** intocada no prato foi me libertando da culpa **inconsciente** que eu carregava em relação ao desperdício. Havia um molde mental arraigado no meu cérebro que dizia: "Nunca desperdice! <u>Nunca desperdice!</u> **NUNCA DESPERDICE!**". Tal modelo mental foi amoldado ao meu cérebro a partir das vivências ocorridas na minha vida desde **o útero da minha mãe até a minha adolescência**.

Meus bisavós e avós viveram na Europa em uma época de guerra e fome. Naquele ambiente de privações, era natural a necessidade extrema de combater obstinadamente o desperdício. O apego a materiais e itens básicos de sobrevivência fazia-se premente. Desperdiçar algo, naquele contexto, podia significar a diferença entre a vida e a morte. Possivelmente, essa crença foi sendo passada de geração a geração, dos meus bisavós aos meus avós, dos meus avós aos meus pais e dos meus pais até chegar a mim. Observe que não me refiro aqui a nenhum tipo de transmissão do tipo genética ou hereditária carregada através de cromossomos, genes ou DNA: trata-se, isso sim, de uma transmissão transgeracional mediada única e exclusivamente por pensamentos e comportamentos fixos e repetitivos.

Se o modelo mental de culpa atroz ligada ao desperdício de comida foi muito útil no contexto dos meus ancestrais, não se pode dizer o mesmo do ambiente em que fui criado e muito menos do contexto em que vivo hoje em dia. Atualmente eu posso, com facilidade, pedir uma pizza a qualquer hora da madrugada. Eu posso, quase ao estalar de dedos, dispor de comida prontamente a qualquer instante e na maioria dos locais em que costumo transitar. Eu vivo em um ambiente de ampla abundância e disponibilidade hoje em dia, completamente oposto às circunstâncias originais em que o padrão mental surgiu, mais de cem anos antes de eu nascer!

A pergunta que não pode ser ignorada então seria: se os contextos são outros, se os ambientes são outros, se o mundo mudou, por que manter o mesmo molde mental de pensamento? Suponho que, como essas crenças tendem a se enraizar de forma **inconsciente** em nossa mente, fica muito difícil, em primeiro lugar, saber que elas existem dentro de nós mesmos; em segundo lugar, o importante no geral é a transmissão da crença em si, muito mais do que a justificativa para ela existir, já que seus "criadores" compartilhavam de forma clara os motivos óbvios para o surgimento do modelo mental; e, por fim, mesmo que tenhamos a sorte de nos tornar conscientes de que estamos mentalmente presos a alguma crença limitante, isso pode não ser suficiente para mudar, já que os "canais de comunicação" para o pensamento (**subconsciente**) detentor dessas crenças são peculiares.

No meu caso, foi o **ritual visual** de rotineiramente assistir ao desperdício de comida no prato que conseguiu ir libertando a parte **inconsciente** do meu cérebro da culpa profunda que eu tinha em relação ao desperdício. Provavelmente, se alguém à época chegasse para mim e dissesse que eu estava preso a uma crença limitante mental ligada à culpa pelo desperdício, mesmo que eu concordasse e racionalizasse sobre isso, sem um instrumento efetivo de comunicar isso à parte **inconsciente** (não racional e não afeita a argumentos lógicos) do meu cérebro, eu provavelmente estaria gordo até hoje (ou morto).

Se você está curioso (ou mesmo incomodado) se eu ainda desperdiço comida atualmente, eu lhe digo que não mais. Eu me mantive fiel à técnica durante cerca de dois anos. Após esse período, o ritual foi deixando de ser necessário, porque provavelmente a reprogramação em nível mental conseguiu ser transferida e consolidada fisicamente dentro do meu cérebro, através da **neuroplasticidade**. Trocando em miúdos, a transformação do meu pensamento levou à alteração estrutural da biologia e da química do meu cérebro. O que isso significa? Com este meu novo cérebro, passou a ser natural, fácil e espontâneo comer pouco. Eu não preciso atualmente de nenhum tipo de "força de vontade" para ter uma alimentação adequada. Eu não preciso mais "lutar contra" os meus próprios pensamentos, angústias ou fantasmas ligados à comida e à obesidade. Minha mente conseguiu reconstruir novos caminhos e padrões de escolha naturalmente mais saudáveis dentro da estrutura física do meu cérebro. Meu cérebro não precisa mais criar artifícios de "autossabotagem" para me prender ao molde mental que alimentava às escondidas a minha obesidade, simplesmente porque aquele cérebro que fisicamente atendia a um molde antigo de pensamento foi reprogramado e deixou de existir.

Hoje eu não me sinto culpado ao tomar um *milk-shake*, nem fico me pesando em balanças obsessivamente, nem me martirizo por não ir à academia. Não tento compensar frustrações na comida e fico longos períodos em jejum sem passar mal. Nada disso fazia parte da minha realidade enquanto eu era gordo. O que mudou? Provavelmente ser obeso deixou de ser compatível com o novo rearranjo químico-estrutural do meu cérebro hoje em dia. A minha obesidade perdeu seu propósito de continuar a existir, porque o molde mental (hipervalorização dos símbolos afetivos ligados à comida) simplesmente deixou de existir.

Não interessa aonde você vai chegar

Só existem dois dias no ano em que nada pode ser feito. Um se chama ontem e o outro se chama amanhã, portanto hoje é o dia certo para amar, acreditar, fazer e principalmente viver.
Dalai Lama

Outro aprendizado importante advindo do meu emagrecimento está relacionado ao fato de, ao iniciar e mesmo durante todo o processo, eu não ter me apegado a nenhuma meta ou objetivo definidos. A coisa mais comum que acontece quando alguém inicia uma dieta é logo estabelecer prazos e metas. Eu absolutamente não fiz isso. Não determinei que gostaria de estar pesando 150 kg em seis meses ou que eu deveria caber em uma calça de determinada numeração até o Natal. Eu simplesmente fui fazendo. Não me importei até onde eu chegaria, preferi concentrar forças em me preocupar com um dia de cada vez, fazendo o que estava ao meu alcance naquele momento, no melhor das minhas possibilidades.

Hoje eu percebo com clareza que isso foi extremamente importante para que eu me curasse da obesidade. Note que, quando alguém estabelece para si objetivos muito nítidos, claros e definidos de um ponto de chegada no futuro, duas coisas muito perigosas podem acontecer. A primeira é que, se eu não alcanço a meta estabelecida, eu me frustro, posso sentir-me culpado e até querer me punir pelo fracasso. Isso qualquer um de nós já sentiu na pele naturalmente. A pegadinha mais irônica, porém, vem agora: mesmo que eu consiga brilhantemente atingir ou até mesmo superar a meta, toda a energia, dedicação e empenho empregados para chegar lá desmoronam instantaneamente feito um castelo de vento e eu volto a engordar.

Esse é um conceito crucial para se compreender: uma imagem muito definida, clara e objetiva de algo que queremos no futuro pode funcionar como uma prisão. A meta cristalizada na nossa mente serve como uma jaula do nosso futuro, drenando todos os nossos recursos físicos e mentais para tentar entregar o que foi planejado. Em outras palavras, é ruim quando dá errado e também é ruim quando dá certo!

Por que isso? Porque, mesmo que você seja a única pessoa do mundo que conquistou tudo exatamente como planejou em todas as áreas da sua vida, sem tirar nem pôr, você passou 99,99999% do tempo sofrendo para chegar aos seus objetivos (já que, no fim das contas, eram eles que importavam de verdade e trariam a tão sonhada felicidade) e 0,00001% do tempo (a fração do infinitésimo de segundo que dura a glória por chegar a algum lugar) feliz por ter conseguido. Isso, para mim, está mais para filme de terror do que para vida feliz.

O que costumamos fazer depois de alcançar um objetivo? Logo arrumamos um outro ponto imaginário futuro, uma outra miragem ilusória para chamar de nossa. "Boralá" correr atrás de outro castelo mental de vento. Sem nos darmos conta, ficamos como um *hamster* de gaiola de laboratório correndo numa esteira metálica circular atrás de um pedaço de queijo que alcançamos de vez em quando. Trata-se daquele comportamento típico de uma criança que anseia desesperadamente por um brinquedo de presente e, quando enfim o ganha, fica extasiada por alguns minutinhos e depois joga o brinquedo de lado para buscar um novo desejo.

"Isso significa que eu deva ignorar o futuro, então?" Pel'amor, não é nada disso! Não criar imagens mentais cristalizadas em exagero de metas futuras não é o mesmo que ignorar, fugir ou fingir que o futuro não existe. Esse conceito tem muito mais a ver com viver o presente, focar o agora e abraçar o hoje. Esta foi uma grande lição que tirei dessa experiência.

Note que dedicar a vida ao agora não é o mesmo que não ter futuro. Atenção, hedonistas de plantão! Dedicar-se ao presente não é o mesmo que atirar-se numa orgia sexual libertina de forma desprotegida, não é o mesmo que mergulhar numa piscina de chocolate cremoso e também não é o mesmo que transformar a própria vida numa *rave* ambulante.

Viver o hoje significa NÃO HIPOTECAR O FUTURO. Significa deixar o futuro como ele foi (suponho) projetado para ser: incerto, imaculado, livre, aberto e infinito de possibilidades. Voltemos aos nossos castelos mentais de vento (objetivos claramente definidos de aonde chegar no futuro). Quando eu programo meu cérebro para atingir uma miragem no futuro, eu passo a dedicar tempo, energia e empenho para serem escravos daquele castelo de vento que eu quero construir. É mais ou menos como se eu quisesse transformar o meu futuro em algo que ele não é: controlável, previsível, finito, regular e limitado. Isso não me cheira correto. Viver o momento significa, para mim, concentrar-me em entregar o melhor de mim mesmo ao futuro, transformando-me continuamente em alguém "menos pior" a cada dia. Significa parar de querer dominar o futuro e deixar de tentar trazê-lo (via castelos de vento) para mim. Sou eu que tenho que me entregar melhor ao futuro, não o contrário! O "eu" (real), até onde sei, só pode existir no agora. O único "eu" (virtual) que pode existir no futuro é aquele arremedo de caricatura sofrida e enjaulada na masmorra do castelo de vento.

O foco passa a ser como me transformar em alguém melhor hoje e não mais aonde, sabe-se lá, vou chegar. A dedicação passa a ser como eu posso entregar o melhor de mim mesmo agora, e não mais definir qual é minha própria versão de super-herói em algum ponto do futuro. O empenho passa a ser o que está ao meu alcance no presente a ser feito de forma correta, e não mais em "brincar de Deus", determinando meu futuro de antemão.

O ritual alimentar foi fundamental para me <u>libertar do meu passado</u>, e não ter uma meta nítida foi crucial para me <u>libertar do meu futuro.</u> Assim, livre de um passado gorduroso e também livre de um futuro sabotador, eu fui jogado para o único período da vida de qualquer pessoa em que se pode ser plenamente feliz: o agora. Quase "sem querer", eu acabei absorvendo na minha rotina uma sabedoria que eu até "meio que" já tinha lido, visto e escutado por aí, mas que não fazia sentido para mim até sentir na própria pele (ou banha, como preferir).

Eu consegui atingir o meu peso atual em cerca de três anos aproximadamente. Não pense, porém, que as valiosíssimas lições acima foram como um aprendizado mágico e rápido que foi ocorrendo simultaneamente ao processo de emagrecimento. Não foi assim. Foram quase sete anos entre o início de minha transformação física e o início da minha "transformação mental". A ficha de como e por que eu tinha conseguido me transformar fisicamente de forma tão singular só caiu muito tempo depois de eu não ser mais gordo. Vou voltar ao tema em um capítulo adiante.

Dos impulsos

Outro dia, me perguntaram: "Mas não são as metas que movem a humanidade?".

Se fossem as metas, planos e objetivos que de fato importassem, a maior parte de toda a realidade que experimentamos hoje teria sido prevista com precisão e traçada de forma determinística por nossos ancestrais. Por mais que eles tenham se esforçado para isso, nem o mais aguçado visionário poderia antever o que vivemos hoje em dia.

Os criadores do Google, da Internet, do Facebook e da Apple não previram suas criações. Certamente foi muito menos "o ponto de chegada" imaginado por eles e muito mais **a atenção e dedicação ao que faziam** movidos por suas respectivas paixões que ultimaram suas realizações.

Einstein não planejou conceber a Teoria da Relatividade, ele simplesmente alinhou suas habilidades com seu trabalho. Camões não teve *Os Lusíadas* como meta, ele simplesmente sentou a bunda na cadeira e escreveu. Da Vinci não previu que faria o quadro mais famoso do mundo, ele simplesmente dedicou-se a pintar a *Mona Lisa*.

Onde está o seu sonho? Em um ponto de chegada futuro ou em algum lugar dentro do seu coração agora mesmo? Onde está a sua paixão? Na fantástica (e muitas vezes **fantasiosa**) glória de atingir um objetivo pontual distante ou na singela glória de ter o aqui e o agora como objetivos por si mesmos? Onde está a sua motivação? Na meta traçada por outros ou em ter a si mesmo como meta?

Eu também fui indagado pelo mesmo interlocutor: "Mas não é a insatisfação que nos faz sair do lugar?".

Certamente o desconforto nos cobra uma ação. Contudo, o que acontece, infelizmente, é que nos movemos geralmente **em direção ao lugar errado** para amenizar nossos incômodos. Tendemos a agir com a cabeça no futuro, nos outros e fora de nós mesmos para debelar nossas insatisfações íntimas. O movimento mais pleno começa dentro de nós, e não fora. O movimento mais criativo começa no presente, e não em nenhuma miragem no futuro. O movimento mais feliz é desenhado por nós mesmos, não por expectativas alheias.

Entusiasmo × Expectativa

Uma vez, vi uma frase colocada junto a um desenho: "Não crie expectativas, crie cactos!". Expectativa, de fato, pode ser um grande veneno.

Quando eu crio uma construção mental em relação à expectativa de que algo aconteça, tendo a ficar completamente intolerante e refratário à possibilidade de outros desfechos não correspondentes a ela. Eu restrinjo o meu campo de possibilidades mentais em torno de um pequeno ponto. Não atingir a meta proposta tende a me frustrar. Não conquistar o objetivo traçado tende a me fazer sofrer.

Mesmo quando atinjo o objetivo proposto, acontece um incrível paradoxo: eu automaticamente perco o interesse por aquele objetivo alcançado. Toda a energia e tempo despendidos para a conquista daquela meta simplesmente perdem importância e sentido, assim como quando uma criança ganha um brinquedo muito desejado: cinco minutos de animação, e depois o brinquedo é jogado de lado. O que ocorre em seguida? Buscamos um novo brinquedo! Passamos a desejar uma nova meta, um novo objetivo! Eu crio uma nova expectativa para chamar de minha. E daí o ciclo de sofrimento prolongado-satisfação temporária vai se repetindo indefinidamente.

A crueldade em relação a expectativas não se limita ao futuro, não se limita a metas vindouras. A armadilha mental da criação de expectativas pode lançar tentáculos também ao passado e ao presente.

Pode-se criar uma expectativa inconsciente de remodelação do passado. Podemos, de forma oculta e sutil, nutrir expectativas de compensação, redenção, expiação ou vingança em relação a situações, acontecimentos ou percepções passadas ainda carregadas em nosso íntimo de forma inconsciente. Eu posso vestir a missão de ser o salvador do meu pai. Eu posso tomar para mim o papel de antagonista da minha mãe. Eu posso carregar o peso de continuar o sonho do meu avô. Dentre inúmeras outras possibilidades. O trágico em relação a essas expectativas geradas a partir de imagens passadas é que elas são quase impossíveis de alcançar. Isso ocorre por um simples motivo: as situações passadas que gestaram essas expectativas invariavelmente são impossíveis de reproduzir, pois foram geradas por situações, lugares e personagens que já não existem ou se transformaram muito.

Expectativas em relação ao presente em geral estão direcionadas a comparações com outros. Ter o que o outro tem. Fazer o que o outro faz. Parecer-se com o outro. A famosa história da grama mais verde do vizinho. Uma expectativa relacionada à ilusão de encontrar o pote mágico de ouro fora de mim mesmo.

OK. Parece que criar expectativas pode ser algo tóxico. Mas como viver, prosperar e crescer sem ter metas ou objetivos?

Não sei se existe fórmula ou receita pronta para isso. O que eu, particularmente, busco fazer hoje em dia é transformar expectativa em **entusiasmo**. A rigor, eu tento escolher de forma voluntária entusiasmo no lugar de expectativa. Ao invés de gastar tempo, dedicação e energia para alimentar expectativas (futuras, presentes ou passadas), eu procuro concentrar esse mesmo tempo, dedicação e energia e desviá-los rumo ao **ENTUSIASMO**.

Entusiasmo para entregar o melhor de mim mesmo neste exato momento. Entusiasmo para procurar transformar cada incômodo que me abate em oportunidade de autoevolução. Entusiasmo para aprender e buscar ser uma pessoa melhor a cada dia. Entusiasmo para desaprender e me autoquestionar. Entusiasmo para me conectar com os outros e com o mundo ao meu redor. Entusiasmo para transbordar minha felicidade interna sob a forma de amor.

Preciso estar bem para viajar

"Preciso estar bem para viajar. Preciso estar bem para o meu casamento. Preciso estar bem para o verão." Soa familiar? São formas algo curiosas de se expressar, ou não? Não sei quanto a você, mas, posto dessa forma, a mim me passa a impressão de que se valoriza mais a viagem, a cerimônia de casamento e o veraneio na praia do que a própria pessoa que planeja esses acontecimentos. Passa-me uma ideia algo bizarra do tipo "eu não posso estragar o planejamento mental que construí na minha mente".

Afinal, a parte essencial da frase "estar *bem*" não seria – esta parte exata – uma premissa a ser buscada independentemente da miragem ou da expectativa que projetamos no futuro? Ou será que, depois que passar a viagem, o casamento e o verão, eu posso me afundar? Em que eu estou investindo meu tempo, dedicação e energia: em estar bem agora e permanentemente ou em expectativas e planos futuros mirabolantes? Que diferença vai fazer o objetivo futuro se o agente dessa expectativa não estiver concentrado em estar bem no presente e de maneira contínua, independentemente do local ou das circunstâncias futuras?

Onde estou com a cabeça?

Você quer aprender a falar inglês? Ótimo. Mas onde você está com a cabeça? Sua cabeça está centrada em torno de quem já fala inglês fluentemente ou está centrada em si mesmo? Note que, se o parâmetro for focado estritamente na fluência em inglês, começa-se o processo todo como uma "dívida". Você sempre estará aquém do ponto idealizado. A sensação mental geral tende a ser de constante déficit, dívida, distância e separação em relação ao objetivo ideal. A mim, isso traz um arcabouço mental com conotação negativa e sacrificante. Agora imagine que você inicie o mesmo caminho não mais focado lááááá adiante, mas sim focado aqui e agora na própria ignorância linguística. Imagine então que a cada nova palavra aprendida, a cada novo diálogo aprimorado, a cada conquista gramatical, você se sinta menos "linguisticamente ignorante". Em outras palavras, eu passo a ter uma sensação mental de melhora a cada dia, de lucro, de evolução, de estar hoje um pouco melhor que ontem. A mim, isso me parece um tanto mais saudável sob o ponto de vista intelectual comparado ao primeiro modo de pensar.

Você quer iniciar uma nova carreira, uma nova profissão ou um novo trabalho? Ótimo. Mas onde você está com a cabeça? Sua cabeça está centrada em torno de quem já trabalha com maestria ou está centrada em si mesmo? Se a realidade mental estiver excessivamente focada na excelência profissional, talvez todo o processo de atuação laboral transcorra com uma ideia de "chegar lá", de "quanto falta?", de "será que tenho requisitos suficientes?", de *gap* a ser preenchido. Tenho a impressão de que isso seria mais ou menos como viver sempre no negativo para almejar chegar ao neutro no dia de São Nunca. Agora imagine que você inicie o mesmo caminho não mais focado lááááá adiante, mas sim focado aqui e agora na aceitação honesta das suas capacidades atuais. Imagine, então, que a cada nova técnica aprendida, a cada novo processo aprimorado, a cada conquista profissional, você se sinta menos "incompetente". Em outras palavras, eu passo a ter uma sensação mental de melhora a cada dia, de lucro, de evolução, de estar hoje um pouco melhor que ontem. A mim, isso me parece um tanto mais saudável sob o ponto de vista intelectual comparado ao primeiro modo de pensar.

Preocupação × Interesse

Eu sempre fui muito preocupado com tudo. Considerava que isso era ótimo para poder ter o controle de tudo. Mas eis que BAAAAAANG!!! ERRRRRROU!!! PRÉ-ocupação, como a própria palavra já indica, significa ocupar previamente a minha mente com um hipotético evento futuro. Ao me PRÉ-ocupar, eu gasto uma tremenda quantidade de energia em função de uma fantasia imaginária do futuro. Com essa manobra cerebral arriscada, eu devoto o meu pensamento a uma ilusão etérea do amanhã, como que tentando fixar um prego numa parede de vento ainda não construída. Você costuma gastar o dinheiro de uma loteria que você ainda não ganhou? Você costuma colocar a carne na grelha antes de acender o carvão? Você costuma castigar seus filhos antes mesmo que façam algo errado? Pois bem, eu aprendi que PRÉ-ocupação é mais ou menos isto: gastar um tempão e uma bruta energia construindo castelos de vento!

"Ah, mas, se eu não me preocupar com nada nem com ninguém, eu não saio do lugar! blá-blá-blá…" Calma! Eu já vou responder ao mimimi… Não se PREOCUPE!

Interesse, meu caro, interesse. Diferentemente de preocupação, eu posso ter interesse pelas coisas e pelas pessoas. Posso simplesmente ter interesse sem ter preocupação. Quando eu me interesso, gasto meu tempo e a minha energia fazendo o melhor possível AGORA, sem estar amarrado a uma ilusão futura. Posso me interessar e daí entregar-me completamente ao PRESENTE, sem idealizar uma fantasia fixa futura. O interesse ilumina o meu caminho e me deixa aberto à beleza simples do inesperado. A preocupação aprisiona meu cérebro em torno de uma miragem.

VOLTEMOS À CIÊNCIA

Na maior parte das vezes, lembrar não é reviver, mas refazer, reconstruir, repensar, com imagens e ideias de hoje, as experiências do passado. A memória não é sonho, é trabalho.
Ecléa Bosi

O primeiro pilar neurocientífico a ser notado não constitui nenhum mirabolante conhecimento técnico aprofundado envolvendo dendritos, axônios, neurotransmissores, mielina, hipocampo etc. Trata-se de algo bem simples e prosaico que a maioria de nós aprendeu na escola, mas que tendemos a ignorar ou a não dar a devida importância prática ao tema.

Vamos ao óbvio: o período-chave para a formação estrutural e funcional do cérebro ocorre entre o útero de nossas mães e a nossa adolescência. Uma ideia básica, primária e de fácil compreensão, certo? O que talvez estejamos deixando passar batido aqui é justamente a aplicabilidade prática dessa verdade singela e fundamental. Se for durante esse período crucial de nossa vida que o nosso cérebro é formado, então os acontecimentos e as experiências mais importantes dessa época têm um papel gigantesco na estruturação da circuitaria cerebral.

Não é apenas a influência genética trazida pelo DNA dentro dos nossos cromossomos que determina como o cérebro se forma: o nosso encéfalo também é fundamentalmente moldado, conformado e estruturado a partir das nossas vivências durante os primeiros anos de vida. E, muito mais importante que as vivências em si, são principalmente as PERCEPÇÕES que associamos a cada uma delas que impactam de forma direta em como as nossas redes neurais se estabelecem e se reforçam. Estas cenas, experiências e fatos ocorridos em nossa vida e, muito mais fortemente que isso, as INTERPRETAÇÕES pessoais que damos a cada um deles nos ajudam a entender em parte por que estimulamos mais determinadas habilidades em detrimento de outras, por que fomentamos mais certos aspectos de nossa personalidade e sufocamos outros, e por que priorizamos alguns tipos específicos de escolhas e comportamentos.

Se todos os principais moldes mentais e pensamentos condicionados que temos são implantados em nós durante a nossa infância-juventude, é simplesmente insano ignorar esse período da nossa biografia. Deixar de dar atenção a isso nos serve apenas como um mecanismo de fuga, um instrumento de defesa e escape para não termos de reviver dores, traumas, feridas, épocas, lugares, pessoas e circunstâncias que nos fizeram sofrer. Sinto informar, mas fingir que não temos passado não resolve nenhuma angústia íntima profundamente arraigada e oculta em núcleos antigos e primitivos do nosso cérebro. Como bem nos disse George Santayana, filósofo espanhol: "Aqueles que não podem lembrar o passado estão condenados a repeti-lo".

Costumamos ouvir com certa frequência frases do tipo "o tempo cura tudo" ou "passar uma borracha no passado", ditas em contextos até bem-intencionados de trazer conforto às pessoas. Há de se ter cautela, porém, com a possibilidade de esse tipo de mentalidade carregar uma ideia subliminar oculta com potencial danoso: a de que a nossa história pessoal de vida deva ser evitada ou minimizada. Contar com o tempo para eu me desprender de uma energia negativa que carrego no meu íntimo é como ficar sentado na frente de uma pedra e esperar que a erosão a dissolva. Simplesmente é algo nem um pouco inteligente de ser feito. Eu vou morrer muito antes e a pedra continuará tranquilamente lá, firme e forte. Em oposição a essa atitude passiva e fugitiva, eu posso aprender a parar de tropeçar todos os dias nessa pedra e passar a usá-la para alcançar a maçã no alto da árvore. A pedra continuará a mesma, mas eu posso aprender a mudar completamente o significado dela para mim. Transformar o meu passado de pedra oculta que me faz tropeçar várias vezes em pedra evidente que me ajuda a escalar e alcançar grandes feitos está completamente ao meu (e ao seu) alcance.

Ao tomarmos consciência da importância enorme que as pedras (às vezes rochedos gigantescos, vou te dizer) da nossa biografia têm em impactar diretamente em como vivemos nossa vida na atualidade, pode surgir a pergunta: o que fazer com essas pedras, então?

Não, as distâncias não parecem dar cabo do problema. Ir morar na Austrália, na Lapônia ou em Marte não costuma ser útil para essa finalidade. Isso ocorre por uma razão muito simples: a pedra está dentro de nós e vai acabar indo junto conosco aonde quer que estejamos.

Não, esperar que o tempo esconda ou dissolva a pedra também não parece útil. Como vimos antes, eu viro pó antes da pedra.

Não, a morte das pessoas envolvidas nos fatos que petrificaram em mim também não parece aliviar muito a situação. Ao contrário, às vezes esses falecimentos podem até aumentar o peso da rocha que eu carrego.

Não, buscar freneticamente por meios prazerosos externos para tentar sufocar essa carga negativa interna também não parece bastar. Fumar, embriagar-se, comer, drogar-se, ficar famoso, esculpir um corpo perfeito, escalar os píncaros da glória profissional etc. Nada disso parece ser capaz de sufocar e fazer calar esse incômodo íntimo.

Não, atirar as nossas pedras nos outros também não parece uma estratégia correta. Em um primeiro momento, machucar outras pessoas pode até parecer trazer-nos um certo grau de alívio, mas com o passar do tempo seremos obrigados a admitir que, enquanto não nos defrontarmos com os nossos próprios demônios e fantasmas internos, a pedreira não cessará, por mais que tentemos descarregar alguns pedregulhos nas outras pessoas. Além disso, nunca é demais lembrar que atirar nossas pedras nos outros nos torna uma excelente vitrine com potencial para ser alvo de várias pedras alheias.

Minha intuição diz que, metaforicamente, o ideal seria pararmos de tropeçar todos os dias nas pedras que surgiram na nossa infância para aprender a escalá-las, procurando formas de subir nessas mesmas pedras para alcançar frutos no alto das árvores ou para transformar essas rochas brutas em pedras preciosas. Não, o passado não muda. A pedra vai ser sempre a mesma, mas talvez existam maneiras de transformar o simbolismo negativo em simbolismo positivo dessa mesma exata pedra que nos empaca. Olhar com novos olhos. Dar novo sentido, novo significado e novo uso para aquilo que ficou mal digerido dentro de mim. Talvez dessa forma consigamos, de fato, descarregar-nos desse pesado fardo, dessas correntes invisíveis que moram dentro de nós mesmos.

Note que não estou propondo aqui uma prática masoquista de ficar remoendo dores antigas ou reabrindo feridas passadas. Há uma distância enorme entre o extremo de iludir-se que o nosso passado pessoal não interessa de um lado e o extremo oposto de ficar se autoflagelando devido a esse mesmo passado do outro lado. Entre esses dois polos diametralmente opostos, existe um mar infinito de possibilidades de reinterpretação com amplo potencial de libertação individual. Assim, partindo-se da premissa neurocientífica básica de que o cérebro é francamente moldado a partir das interpretações mentais dos eventos ocorridos desde a época fetal até a adolescência, será que não vale a tentativa de reexaminar temas cruciais em torno dos quais nosso cérebro foi formatado?

Fotografia × Filme

Tendemos a identificar, com certa frequência, razões um tanto rasas, simplórias e ultra-atuais para explicar problemas que nos incomodam.

"Eu estou estressado porque meu chefe é um idiota."

"Não consigo dormir por causa da crise econômica."

"Minha doença impede-me de trabalhar ou ajudar minha família."

Essas explicações mais simplistas e superficiais, baseadas meramente em conjunturas atuais, funcionam como uma fotografia parcial da realidade. Não quero dizer que o quadro da fotografia do momento não tenha lá a sua influência, não é isso. Querer apegar-se, todavia, unicamente à foto de agora como causa total é mais ou menos como querer entender um filme inteiro apenas através de um único *frame* congelado. A interpretação mais detalhada e completa de todo o filme anterior tende a ser bem mais robusta para ampliar e englobar aspectos muito mais importantes para o entendimento (e uma possível resolução consequente) de um problema.

Assim como não somos produtos de uma fotografia instantânea do presente, tampouco nossos problemas costumam ser fruto de uma simples fotografia fina do momento. Assim como nós, os nossos problemas são muito mais consequências de **todo o filme** e cenas principais ocorridas anteriormente em nossa vida. E, pode ter certeza, nosso cérebro opera comendo pipocas, assistindo e respondendo ao filme, e não ao pôster da película do dia.

Viagem no tempo

Não, não se trata de ficção científica. De fato, ainda não é possível voltar ao passado para alterar acontecimentos anteriores. Existe, porém, algo (talvez até mais potente e importante) que pode ser transformado em nossa história pessoal de vida: **nossas percepções** em relação aos fatos passados.

Nossas interpretações e sentimentos associados a episódios passados são inteiramente maleáveis e flexíveis. O que é rígido, fixo e imutável é o acontecimento em si. Notemos, assim, que são as emoções e perspectivas (negativas ou positivas) com as quais revestimos esses eventos o que mais impacta no que sentimos no presente. Tais revestimentos emocionais talvez sejam bem mais relevantes que os fatos e acontecimentos que nos marcaram no passado.

É muito comum misturarmos o fato em si com a percepção que damos a ele, como se fossem a mesma coisa, como se fossem aspectos inseparáveis, rígidos e invioláveis. Essa ilusão nos tolhe a possibilidade de reinterpretação passada com vistas a uma autolibertação individual no presente. Ao só admitir uma única versão negativa para meu pai, ou minha mãe, ou meu irmão, ou meu professor, ou minha carreira, ou um acidente, ou uma doença, ou uma mudança etc., eu necessariamente também limito as minhas possibilidades de como tais versões ("invioláveis") podem me impactar (em geral também de forma negativa) na atualidade.

Certamente é muito mais agradável viajar para Paris, Miami ou Caribe. Por mais prazerosas que sejam, tais viagens talvez não tenham o potencial de impacto autolibertador que a viagem rumo ao nosso passado pessoal possui. Descobrir que o que me aconteceu é irrelevante quando comparado à interpretação que eu coloco em torno do acontecido é, acredite, incomparavelmente mais transformador que subir ao topo da Torre Eiffel. Utilizar esse conceito em si mesmo é como passar da TV preto e branco para a TV colorida, é como deixar de ver uma tela borrada de cinema que se transforma mágica e completamente ao colocar os óculos 3D. É passar a enxergar a si mesmo e ao mundo de forma revolucionária e libertadora.

Autobiografia maleável

Costumamos padecer de certa "ilusão de desconexão" sobre nosso próprio passado. Não é incomum nos iludirmos com a sensação de que eventos atuais pelos quais estamos passando "não têm qualquer relação" com a nossa própria história pessoal única de vida. Pensar dessa forma é mais ou menos como imaginar que somos criados "do nada" por uma varinha mágica a cada instante, como se fôssemos produtos de um eterno presente sobrenatural separado em absoluto de acontecimentos anteriores e marcantes de nossa vida.

Quando não encontramos razões na nossa própria biografia para explicar incômodos atuais, isso pode ter um efeito deletério secundário: passamos a enxergar causas apenas **fora de nós mesmos**. Nessa deformação de percepção, não é raro culparmos, por exemplo, a postura do chefe por nossas agruras atuais (e não uma percepção deturpada que tivemos dos nossos pais na infância). Com certa frequência, despejamos a fatura dos nossos incômodos atuais nos políticos (e não em como percebíamos a convivência com nossos irmãos na época em que nosso cérebro se formava). Com alguma regularidade, tendemos a responsabilizar nosso cônjuge pelos atritos (e não a como guardamos a percepção do casamento dos nossos próprios pais).

Observemos com atenção que a "roupa emocional" ou o "traje sentimental" que usamos para revestir os fatos e acontecimentos passados de nossa vida diferem por completo dos eventos em si. A percepção do fato é algo inteiramente diverso do fato em si. A ilusão de que são um conjunto único é muito poderosa em nosso cérebro, e isso reforça a noção mental errônea de que o nosso passado pessoal não é passível de reinterpretação – o que intensifica, por sua vez, a enganosa visão de que, como a nossa história individual anterior "não pode" ser transformada, ela poderia ser completamente descartada como fator causal do que ocorre na nossa vida na atualidade. Derrubar essa ilusão não só é possível, como também necessário para que possamos nos livrar de gaiolas mentais invisíveis às quais estamos encarcerados. É fundamental que se perceba que é possível, sim, despir as "roupas e trajes" com os quais nossos esqueletos e fantasmas foram guardados nas catacumbas obscuras do nosso cérebro. E, mais que isso, outros "trajes e roupas" sentimentais e emocionais podem ser usados, agora para vestir esses mesmos esqueletos e fantasmas escondidos, que são nossas interpretações (e que supúnhamos ser "intocáveis") de eventos e fatos emblemáticos, especialmente os ocorridos naquela época crucial de constituição e formação do nosso sistema nervoso central.

E de onde surge essa ilusão enganosa que nos predispõe a amalgamar *o fato em si* (pouco importante!) junto com a respectiva *percepção* deste mesmo fato (muitíssimo importante!) como se fossem uma coisa só, indivisível? Como veremos mais adiante no livro, isso possivelmente decorre com base na época em que brota em nosso cérebro o início do nosso pensamento racional autoconsciente. Você se lembra de quando começou a perceber que você era você mesmo? Pois bem, é justamente em torno dessa época da nossa infância, grosso modo, que inicia a operação processual da nossa mente racional-consciente com aqueles nossos primeiros *flashes* de lembranças e memórias. Já deu para notar que ela não nasce pronto junto conosco, né? Diferentemente desta parte mental racional-consciente a que estamos identificados e acostumados rotineiramente, a parte inconsciente da mente já nasce pronta conosco e é por essência quem opera todas as nossas principais percepções emocionais e sentimentais em torno de nossas vivências. Desta forma, quando, muitos anos mais tarde, começa a operação da mente racional-consciente, a parte subconsciente do cérebro já deu um jeito de vestir todas as situações com suas respectivas percepções. Assim, o processamento racional-consciente (surgido já com o negócio todo dos "esqueletos e roupas" em pleno andamento) assume a coisa toda como certa e correta e tende a não perceber os processos neurais inconscientes estabelecidos muito antes de ele surgir. Sabe aquele estagiário novo que entra na empresa multinacional gigante, olha tudo aquilo e vai tocando o barco como se tudo fosse a coisa mais normal do mundo, mesmo sem entender quase nada do que se passa? Pois bem, é mais ou menos o que acontece quando aparece a mente racional (o estagiário) lá por volta dos nossos 4 a 6 anos de idade, em meio à já gigante e preponderante operação mental inconsciente (a multinacional).

É óbvio que eu não posso mudar os fatos do meu passado, mas está inteiramente ao meu alcance transformar POR COMPLETO a roupagem emocional e sentimental associada às memórias desses acontecimentos. E é justamente aí que as coisas podem se tornar bem interessantes.

Como também veremos mais adiante no livro, sabemos que na atualidade, por estudos de neurociência de ponta, o nosso cérebro é amplamente neuroplástico (ou "neuroflexível") até o último dia de nossas vidas. Em outras palavras, as conexões sinápticas (a comunicação) entre os neurônios podem ser inteiramente desfeitas e refeitas, com alteração correspondente na bioquímica dos neurotransmissores cerebrais. O que isso quer dizer? Trocando em miúdos, isso significa que eu não necessariamente preciso passar a ter sempre o mesmo comportamento, fazer metodicamente as mesmas escolhas e responder com o mesmo padrão emocional durante toda a minha vida sempre da mesma maneira. Ou seja, existe uma contraparte biológica neuronal que nos possibilita a libertação de padrões repetitivos e automáticos e de sistemas de crenças e valores para os quais nos sentimos eventualmente aprisionados.

Se eu for vítima permanente do meu único passado (com os eventos importantes revestidos com as mesmas "roupas emocionais" de sempre), estarei invariavelmente preso ao meu presente e a um futuro amarrado predeterminado. Em outros termos, se eu não mudar o meu passado, posso ser incapaz de transformar o meu presente e o meu futuro.

Ao conseguir reinterpretar a minha história pessoal, ousando "reescrevê-la" com novas cores e novas vestes para a percepção dos acontecimentos vitais passados, posso passar a "liberar" caminhos cerebrais neuronais "viciados" em responder sempre num mesmo padrão de estímulo, a criar novas possibilidades de vias neuronais e, em consequência, novos padrões mentais que possibilitam novos caminhos de vida. Pode-se, dessa maneira, quebrar-se um sufocante fluxo determinista inexorável de um "único" passado (já inconscientemente pré-interpretado), gerando um presente inevitável com um potencial futuro de limites estreitos.

Um "novo" passado nos capacita a um "novo" futuro. O "mesmo" passado tende a nos acorrentar ao "mesmo" de sempre. Você quer melhorar suas perspectivas futuras? Talvez, então, um passo crucialmente libertador seja melhorar, primeiro, suas "perspectivas passadas"!

Pensamento mágico

Quando crianças, consideramos nosso pensamento conectado ao das pessoas ao nosso redor, especialmente daquelas que nos são mais próximas e caras. Trata-se de um conceito já bastante clássico em psicologia. O bebê nasce sem se perceber como um indivíduo único, imaginando ser a própria mãe, e, para efeito de seu pequeno cérebro, não existem barreiras mentais entre o bebê e a mãe ou seus cuidadores mais próximos: eles representam um conjunto mental único. O processo para nos percebermos como indivíduos únicos e separados do nosso entorno inicia-se quando nascemos e só termina ao final da nossa adolescência, quando ocorre o clássico período de ruptura em relação aos pais e à família. É o que tecnicamente chamamos de processo de "individuação" do ser humano. Nesse meio-tempo, entre o nascimento e o final da adolescência, a criança, percebendo-se mentalmente ainda muito ligada às pessoas de convivência mais próxima, tende a considerar que o que ela pensa, sente ou faz pode interferir de modo direto nos acontecimentos (especialmente os negativos) que presencia à sua volta, imaginando que possa até, de certa forma, mudar o destino das pessoas de seu convívio ou mesmo os fatos que não a agradam.

Muitos moldes mentais distorcidos podem surgir em função disso. Uma criança que se perceba não suficientemente amada sob a forma de carinho, afeto, ternura, contato e convivência interpessoal real (e não por objetos, brinquedos, comida ou eletrônicos) pode passar a construir uma realidade mental própria fantasiosa para poder dar uma solução a esse conflito por ela experimentado. Essa criança pode, por exemplo, passar inconscientemente a imaginar, em decorrência disso, que *"se eu não consigo obter o amor do meu pai/mãe/cuidador, então eu vou...*

... querer ser famoso para ser amado pelo mundo" (como compensação).

OU

... querer ser igualzinho a minha mãe para assim ela passar a me amar" (da forma que eu acho que ela deveria fazê-lo).

OU

... querer ser melhor que todos os outros para poder, assim, finalmente conseguir atrair a atenção dos meus pais" (da maneira como eu quero que eles me deem atenção).

Já uma outra criança, em circunstâncias similares, pode, por exemplo, passar inconscientemente a imaginar que *"eu não mereço de fato o amor dele(a)(s), porque eu...*

... não sou boa o suficiente, então eu mereço ser maltratada por todo mundo mesmo".

OU

... fiz coisas muito ruins, daí eu devo ser punida por todo mundo mesmo".

OU

... sou inferior, devo sempre agradar a todos como castigo".

Esses e outros inúmeros modelos mentais não só se formam na cabeça das crianças, como também passam a **REGER** quase todos os aspectos subsequentes da vida do adulto que se seguirá, a menos que se consiga "desprogramar" isso. Não nos iludamos, todos nós temos prisões mentais criadas durante a fase de formação física do nosso cérebro que tendem a nos limitar e fazer sofrer de formar repetitiva, a menos que tratemos de nos libertar dessas paredes invisíveis.

O que pais, mães e cuidadores podem fazer a respeito? Eu diria que, em primeiríssimo lugar, é fundamental reconhecer que eles mesmos são forjados por moldes mentais que advêm de suas respectivas infâncias.

Assim, procurar libertar-se a si mesmos dessas amarras ocultas é crucial. Sem essa percepção, é possível que muito pouco possa ser feito em relação aos próprios filhos nesse mesmo quesito. Os filhos seguirão suas próprias vidas, cometerão seus próprios erros. Desapegar-se da ilusão de poder de controle sobre o destino deles, apesar de difícil, também é importante. **Eu não mudo o meu filho tentando mudar o meu filho. Eu mudo o meu filho mudando a mim mesmo.**

Cabrestos

Nossas principais crenças limitantes surgem fundamentalmente de interpretações de vivências da infância. Sabe aquela pessoa altamente exibicionista que você conhece? Talvez ela tenha sentido uma profunda dor por não ter recebido (tal como queria) a atenção de alguém muito importante para ela na infância. E aquele *workaholic* compulsivo que só pensa em trabalhar? Conhece algum? Talvez o pai dele tenha saído de casa durante a infância e a forma encontrada por sua mente para lidar com a situação possa ter sido a de valorizar algo que o pai perseguia muito: o trabalho. Talvez ele inconscientemente alimentasse a ideia de que seu pai voltaria para casa se ele se comportasse como o próprio pai. Conhece alguma "Maria das Dores", não de nome propriamente, mas aquela figura que parece estar sempre doente, sempre com dor ou sofrida e que parece quase um ímã para mazelas? Talvez essa pessoa carregue em si, sem perceber, a dor e o sofrimento de alguém relevante de sua convivência na infância. Não é infrequente que esse mecanismo surja na mente infantil em formação como forma de tentar "aliviar o fardo" de alguém importante que padece em seu entorno, como que para tomar "parte do sofrimento" para si, numa tentativa de "salvar o outro". E aquele sujeito mais previsível que conta de somar, que segue sempre as mesmas rotinas e planejamentos e odeia quando algo foge do programado? Conhece algum? Talvez ele tenha presenciado uma grande tragédia súbita envolvendo algum ente querido próximo durante a infância e passar a ser sistemático, precavido, metódico e controlador pode ser o mecanismo de defesa que o cérebro dele encontrou para lidar com o ocorrido. E a pessoa que gosta de armazenar e guardar objetos? Aqueles que são conhecidos atualmente como "acumuladores"? Pois bem, talvez essa pessoa tenha experimentado uma percepção muito negativa associada a alguma época de privação durante a infância. Às vezes, não é necessário nem que a pessoa tenha, de fato, vivido uma época de escassez na própria pele. Basta que ancestrais da família tenham passado por isso e que essas histórias e vivências antigas tenham sido transmitidas de geração em geração e estejam vivas no inconsciente familiar para que aquela pessoa possa eventualmente utilizar o acúmulo de objetos como forma de "solucionar" essa percepção quase instintiva de falta ou privação.

É óbvio que nem sempre essas características pessoais estão ligadas apenas a esses respectivos temas específicos da infância ou vice-versa. Existe, de fato, uma enorme e diversificada gama de potenciais situações vivenciadas subjetivamente na infância com impacto para formar uma grande variedade de moldes (ou cabrestos) mentais associados a traços de personalidade. Nem sempre, é claro, trata-se de uma relação unidirecional simples e direta como as que descrevi, mas pode estar certo de que todos nós temos condicionamentos limitantes de estimação ligados a esses cabrestos mentais para chamar de nossos.

Tais modelos mentais gestados na infância são extremamente poderosos, pois aparecem durante o estágio de formação, desenvolvimento e consolidação física do nosso cérebro. E mais: não aparecem do nada nem ao acaso. Eles são um engenhoso mecanismo neuronal que serve como importante ferramenta mental de defesa contra alguma percepção muito negativa que, se não "solucionada", traria um desequilíbrio emocional insustentável (ao menos sob o ponto de vista subjetivo daquela criança específica). Para efeito do cérebro, uma vez criado o condicionamento mental plausível para "solucionar" a vivência interpretada como negativa, o problema está resolvido (mesmo sem nenhuma mudança prática real concreta). Desse modo, a pessoa pode continuar tocando uma vida normal sem "pifar" emocional ou mentalmente.

Esses cabrestos mentais são tão valorizados, sob o ponto de vista dos circuitos neuronais, que são blindados em partes muito profundas e antigas do nosso cérebro: as chamadas regiões límbicas e reptilianas. É mais ou menos assim: o nosso encéfalo, ao pressentir a possibilidade de escorregarmos num imenso abismo de sofrimento e dor, trata prontamente de produzir uma "solução mental" inconsciente. O programa mental aí surgido passa então a ser como uma obsessão oculta que obriga a sua execução de forma quase compulsiva, para nunca corrermos o risco de afundar naquele abismo emocional infernal antecipado pela mente em relação àquela percepção altamente negativa vivenciada em um momento anterior.

Por que isso ocorre? Esse molde mental é praticamente "cimentado" junto às áreas límbicas e reptilianas. Tais regiões cerebrais tratam então de associar qualquer tentativa de contrapor o molde mental a uma sensação quase visceral de perigo de morte, deflagrando mecanismos instintivos e primitivos de reações de luta, fuga ou paralisia. É como se o cérebro considerasse tão essencial a proteção proporcionada pelo molde mental, que ele é literalmente guardado como assunto de vida ou morte sob o ponto de vista neurofisiológico. Trata-se de algo como um aviso oculto nas profundezas da caixa craniana: *"Nunca ouse deixar de cumprir ou tentar se opor ao molde mental, senão você morre!"*.

Daí fica mais fácil compreender por que não adianta quase nada quando tentamos contrapor nossos amigos ou familiares em relação às suas crenças e paradigmas mentais mais profundos. Para efeito neurofisiológico do cérebro, a sobrevivência dessas pessoas (e a sua também, sinto informar) literalmente DEPENDE da servidão a seus respectivos moldes mentais. Tentar convencer a mudanças ou mesmo expor as incongruências dos cabrestos mentais de alguém é, para efeito desses núcleos cerebrais profundos e antigos, o mesmo que apontar uma faca pontuda, afiada e mortal contra a garganta dessa pessoa. Isso é muito fácil e evidente de enxergar nos outros, mas não parece tão claro, óbvio e nítido quando examinamos a nós mesmos. Logo, no meu entender, os cabrestos de pensamento realmente mais passíveis de mudança e transformação são os nossos próprios, não os dos outros. Ainda assim, é claro que se trata de tarefa árdua. Difícil, porém, não quer dizer complicado, tampouco impossível.

ARRÁ!!!

E eis que depois de uma tarde de "quem sou eu" e de acordar à uma hora da madrugada ainda em desespero – eis que às três horas da madrugada acordei e me encontrei. Fui ao encontro de mim. Calma, alegre, plenitude sem fulminação. Simplesmente eu sou eu. E você é você. É vasto, vai durar.
Clarice Lispector

Noite de 27 de março de 2017. Exato dia em que completei 40 anos de idade. Fui para a cama deitar, mas não consegui dormir um minuto sequer durante toda aquela fatídica e singular noite. Nunca tive insônia, nem antes nem depois disso. Algo difícil de expressar e transcrever verbal e graficamente em palavras ocorreu naquela madrugada. Fui meio que arrebatado por um fluxo não usual de pensamentos e sentimentos. Acelerei o filme da minha própria vida uns dez ou vinte anos para a frente e fui tomado por um desespero ímpar. Percebi o horror que seria a minha vida se mantivesse tudo conforme sempre pensara, sentira e agira de forma inalterada. Fui tomado com horror por uma sensação de viver como um embuste ou uma fraude de mim mesmo. Pensei em desespero: "PAREM O MUNDO QUE EU QUERO DESCER! PAREM O MUNDO QUE EU QUERO DESCER!". Uma absurdamente incômoda e claustrofóbica sensação de viver uma vida não escolhida por mim mesmo congelou meu coração, e fiquei petrificado pelo pânico. Como eu tinha conseguido me meter numa situação dessas? Fui invadido então por dúvidas cruciais e fundamentais: "O que fazer, então? Tocar o piloto automático e engolir o sofrimento? Abandonar por completo uma vida que não se adapta mais a mim e virar as costas para os últimos quarenta anos? Como eu vim parar nisso? De onde vem essa inacreditável sensação de vida oca e sem sentido?"

Atingi, em algum ponto sombrio e obscuro daquela madrugada, o fundo do poço mais profundo e desesperador que jamais houvera experimentado em toda a minha vida. Nem mesmo o episódio, que já relatei antes, envolvendo minha crise de falta de ar por apneia do sono, se compara ao terror que senti naquela transformadora noite do meu quadragésimo aniversário. A sensação de morte iminente por crise de falta de ar, que tive anteriormente aos 33 anos de idade durante o auge da minha obesidade, está relacionada ao nosso medo de morrer fisicamente. É claro que se trata de algo pavoroso, mas ainda assim está ligado apenas ao aspecto físico de algo inevitável e fora de nosso alcance: nossa morte física inescapável.

O que eu experimentava agora era algo ainda mais assustadoramente cruel: uma sensação de medo da morte "moral". Agora já não se tratava mais de um legítimo medo de morrer fisicamente, mas sim de uma trágica morte "de sentido", uma morte "da alma". Acho que vivenciei algo como uma morte "espiritual" ou uma morte "mental". Todo o meu corpo físico mantinha-se em perfeito estado de funcionamento e saúde (uma vez que já tinha me curado da obesidade), mas, durante essa noite, de algum modo, eu fui meio que me esvaindo de meus componentes imateriais.

Mas o que me apavorava tanto, afinal? Como que por um vislumbre, percebi com clareza, nessa mesmíssima noite, que eu vinha devotando minha vida a três nortes principais: à comida, ao egocentrismo competitivo e à ganância financeira. Percebi, chocado, que a maior parte da minha vida toda até aquele momento era basicamente dedicada a esses três falsos "deuses". "Que grande merda isso! Olha a cagada em que estou metido!" E por que talvez tudo desabou nessa noite em específico? Ao derrubar alguns anos antes, meio que sem querer, um dos três pilares ocultos da minha vida (a comida), todo o tempo, dedicação e energia que antes eu distribuía entre esses três "deuses" invisíveis passaram a se concentrar apenas nos outros dois ao longo dos seis anos subsequentes. Sem o norte da comida, passei a nutrir, sem perceber, exponencialmente o meu egocentrismo competitivo e a minha ganância monetária. Daí, não deu outra: minha vida foi-se esvaindo sem sentido e propósito sólidos rumo a lugar algum. E sabe o que era mais atormentador na descoberta dessa revelação perturbadora? Não eram, necessariamente, esses três valores em si a que eu me devotava o que me mais incomodou. Não tenho nada contra quem dedique a própria vida a gastronomia, a atividades competitivas ou a ganhar dinheiro. O que mais me incomodou, na verdade, foi o simples fato de que **não fui eu quem os escolheu por livre e espontânea vontade!** Isso, sim, me doeu e abateu profundamente. Fui eu quem conscientemente escolheu ser gordo? Não. Fui eu quem voluntariamente escolheu ser egoísta e competitivo? Não. Fui eu quem deliberadamente escolheu ser ganancioso e louco por dinheiro? Não.

Até essa interminável noite, eu não tinha notado em detalhes como e por que tinha conseguido, num processo iniciado sete anos antes, curar-me da obesidade usando apenas basicamente um artifício mental. Minha ficha a respeito de como tudo aquilo tinha realmente acontecido caiu nessa looonga noite. Afinal, não são muito comuns histórias de pessoas que se curam da obesidade sem cirurgia, sem remédios, sem atividade física regular e sem nenhuma dieta mirabolante. Meu próximo pensamento, depois que essa ficha me caiu, foi questionar: "Se eu consegui transformar radicalmente meu corpo através da reprogramação da minha mente, será que não é possível fazer o mesmo com aspectos não físicos, como personalidade, caráter e essência?". Essa foi então minha "epifania" para tentar sair dessa enrascada. Uma ousada hipótese veio-me à cabeça: "Talvez eu não precise morrer abraçado com quem eu sou, talvez eu possa escolher quem eu quero ser"! Assim, de forma proposital, comecei a tentar voluntária e conscientemente derrubar os outros dois mitos que ainda sustentavam meus comportamentos até então. Mas o que eu poria no lugar? "Muita coisa para decidir numa única noite", refleti. Contentei-me com o plano inicial de faxinar o que não casava mais comigo e deixar para adiante a escolha do que colocar no lugar. O mais importante naquele momento, imaginei, era apenas focar em "deixar de ser" quem não me interessava mais.

Um turbilhão de ideias e pensamentos varreu meu cérebro. Várias cenas, acontecimentos pessoais, filmes da minha vida, pessoas, situações, temas recorrentes, livros, emoções e sentimentos cruzaram intensa e incessantemente a minha cabeça. A partir daí, foi como se uma pequena trinca tivesse se aberto dentro de mim, como uma armadura que começa a rachar ou uma carapaça de blindagem esfarelando ao perder sua razão de ser. Eu jamais voltaria a viver da mesma forma que vivera até aquele instante. Tratava-se de um divisor de águas especial.

Se, para derrubar o primeiro dos três nortes escondidos que impulsionavam a minha vida, ou seja, a comida, eu contei mais com a sorte do que com qualquer outra coisa, agora dependeria apenas de mim mesmo para a implosão dos outros dois nortes que me aprisionavam – o egoísmo e a ganância – e, naquela noite sem fim, haviam saído dos seus respectivos esconderijos nas catacumbas do meu cérebro. A exposição à luz do dia de demônios e fantasmas íntimos nem sempre é suficiente para que eles nos abandonem instantaneamente por milagre. Eu teria que me aprofundar cada vez mais no entendimento de mim mesmo, notadamente os aspectos-chave da minha própria história pessoal, para conseguir libertar-me de fato dessas correntes invisíveis e, assim como fizera com o meu próprio corpo, procurar transferir esses aprendizados para uma transformação de natureza agora emocional e mental. Um processo que, penso, seja interminável e contínuo.

Escala de valores

Todos nós temos arraigada, mesmo que não percebamos, uma escala de valores dentro de nós mesmos. Na imensa maioria das vezes, essa escala é formada mais por influências externas a nós mesmos do que por nossas próprias escolhas voluntárias.

Os "TOP 3" da minha escala eram: comida, soberba e usura.

Se eu hipervalorizo a comida, tenho muito mais chance de ser gordo.

Se eu hipervalorizo o dinheiro, tenho muito mais chance de ser corrupto ou trapaceiro.

Se eu hipervalorizo um time de futebol, tenho muito mais chance de ser agressivo e violento com os torcedores adversários.

Se eu hipervalorizo o poder, a fama, o *status* ou o luxo, tenho muito mais chance de ser pedante.

Observe que é graças a essa escala de valores interna que nos movemos no dia a dia. Fazemos o que fazemos e somos o que somos exatamente para satisfazer à nossa hierarquia pessoal de valores. Eu trabalho porque preciso pagar contas ou porque faria o exato mesmo trabalho se não mais precisasse de seu rendimento? Eu acordo para trabalhar movido pelo salário ou pelo resultado do meu trabalho? Eu estudo para passar numa prova ou pelo valor intrínseco do conhecimento? Eu estudo com intuito de me capacitar profissionalmente para ter uma posição social privilegiada ou pelo valor inerente do conhecimento?

É muito importante destacar que nossa escala pessoal de valores é formada eminentemente de forma INCONSCIENTE. Vamos formando-a desde tenra idade, observando e aprendendo a valorizar o que os outros à nossa volta também valorizam. Cabe ressaltar que esses valores são todos conceitos abstratos. São apenas e tão somente ícones, mitos e símbolos conceituais. Assim, por definição, nenhum desses valores é intransponível ou inquestionável. Nenhum de nós precisa aprisionar-se dentro de uma escala de valores que nos é imposta de fora para dentro e habita silenciosamente nosso cérebro. Podemos simplesmente escolher quais valores seguir!

Eu posso, sim, escolher rebaixar valores como dinheiro, gastronomia, luxo, fama, drogas, poder e competitividade na minha hierarquia íntima de valores. Eu posso, sim, escolher elevar valores como altruísmo, legado, cooperação, arte e conhecimento na minha escala pessoal de valores. Enfim, eu posso transformar minha ESCALA de valores em ESCOLHA de valores.

E você, a esta altura da leitura, já refletiu detidamente como está formada a sua própria escala de valores interna? Quais valores estão no topo e quais estão para baixo? Você pretende mantê-la assim como está? Não existem peças que podem ser rebaixadas e outras que podem ser valorizadas? Pretende mantê-la como ESCALA (rígida e inflexível) ou transformá-la em ESCOLHA?

Concupiscência

Ganhar o máximo de dinheiro possível sempre foi um dos meus esportes favoritos até aquela maldita (bendita?) noite. Nunca tinha questionado, até aquele ponto, o meu papel de "macho provedor monetário" da minha família. Nunca tinha contestado, até então, a minha meta de atingir uma "independência financeira" para "depois ficar tranquilo". Mas eu já tivera a oportunidade de experimentar muitas experiências que o dinheiro é capaz de proporcionar: muitas viagens luxuosas em classe executiva de aviões, hotéis 5 estrelas, restaurantes de alta sofisticação gastronômica, carros confortáveis, compras de objetos variados etc. Contudo, por algum motivo a conta não fechava. E não estou me referindo aqui especificamente à conta matemática de ter ou não o recurso monetário para financiar essas experiências. Refiro-me a uma outra conta mais profunda: **a conta da satisfação pessoal**. De algum modo, mesmo tendo a oportunidade de ter acesso frequente e recorrente àquelas várias práticas economicamente disponíveis a mim, nada daquilo era suficiente para me deixar feliz em um nível íntimo. Por alguma razão, ainda não aclarada até a noite dos *insights*, o luxo material e o *status* econômico não conversavam nem sintonizavam com nenhuma parte minha.

Além da área médica, meti-me em inúmeros outros negócios e empreendimentos com o intuito de sempre ganhar mais e mais dinheiro. Desde um estacionamento, passando por negócios imobiliários e bolsa de valores, até ser candidato a deputado federal, tentei múltiplas frentes, mas nunca pelo prazer do negócio em si, e sim com a intenção primeira de amealhar mais e mais rendimentos.

A minha sede por dinheiro, materializada na forma compulsiva de agir para obter mais e mais patrimônio, vinha amortecida pela justificativa de que eu me comportava daquela maneira para poder entregar o maior conforto material possível para a minha família. Além disso, a minha obsessão financeira também acabava sendo disfarçada e diluída pelo meio social em que vivo, onde a prosperidade econômica é hipervalorizada (mesmo que, às vezes, a qualquer custo). Mas vamos aos fatos: existia alguém apontando um revólver para a minha cabeça e exigindo que eu ganhasse cada vez mais dinheiro? Não, nunca existiu. Se um dia houve alguma arma apontada contra a minha cabeça, tratou-se apenas de um revólver invisível, inventado pela minha própria imaginação. Nunca me foi formalmente anunciado que eu seria obrigado a desempenhar o papel de macho provedor financeiro familiar por ninguém da minha convivência. E, convenhamos, mesmo que isso tivesse ocorrido, ainda assim a decisão final de escolher submeter-me a esse papel seria minha, exclusivamente minha.

Qualquer compêndio minimamente sério versando a respeito de economia nos revela um pilar filosófico básico e inconteste: dinheiro é um **meio** de troca, nunca um **fim** em si mesmo. Qualquer pessoa que tenha o dinheiro como um fim está necessariamente desvirtuando a finalidade para a qual ele foi concebido: exclusivo como meio de troca de bens e serviços, e ponto-final. Eu, todavia, não tinha tomado consciência de que vinha utilizando como fim algo destinado a ser meio. O dinheiro era um dos meus nortes, um dos meus três deuses. Quando temos o dinheiro como objetivo e não como instrumento, tendemos a entrar em um ciclo infindável de insatisfação pessoal.

A espiral hedonista

Vivemos imersos numa cultura em que o Santo Graal, o troféu primordial, é subir o mais alto possível nos degraus da hierarquia social. Quanto mais bem posicionado na pirâmide social comparado aos outros, mais "bem-sucedido" (entre enormes aspas) alguém pode ser considerado.

Ocorre que, a cada luxo conquistado, o novo *status* passa a ser o novo "normal" e já não mais satisfaz, e um novo degrau de ostentação passa a ser desejado. Se eu não tenho carro, passo a sonhar com um. Então consigo comprar um Volkswagen. Mas, após algum tempo, o Volkswagen já não me é suficiente e passo a "precisar" de um Audi. Eu compro o Audi, mas só que o Audi, após um tempinho, já não me parece tudo aquilo. Daí compro um Land Rover, que logo já não me serve. Em seguida compro um Maserati, mas, tão veloz quanto este carro nas pistas, é a duração da minha satisfação com a compra. O carro de luxo não importa mais, preciso de um iate, depois de um helicóptero, depois de um jatinho, e por aí vai. Trata-se da chamada espiral hedonista: tendemos a nos comportar como uma criança que abre um brinquedo de presente, felicita-se por poucos instantes e daí já parte para o próximo, para outro e outro. A espiral hedonista, por definição, é ilimitada e não chega a lugar algum satisfatório. Não existe um pote de felicidade esperando ninguém ao final dessa ascensão material. É como tentar correr até o supermercado utilizando uma esteira de ginástica. Não importa o quanto corra nem quantos iates tenha, você jamais chegará lá dessa maneira.

A nossa sociedade, de fato, mede o sucesso das pessoas pela régua do consumismo-materialismo, porém o universo subconsciente do cérebro aí dentro da sua cabeça não utiliza essa mesma régua. Sabemos hoje, através de diversos estudos e pesquisas científicas no âmbito das neurociências, que dar um presente gera muito mais prazer do que receber um presente; existem provas científicas bastante significativas que apontam para os efeitos bioquímicos e neuroplásticos cerebrais de satisfação e recompensa gerados por ajudar e cuidar de outras pessoas, muito mais poderosos do que qualquer medicamento ou droga química conhecidos até hoje. Assim, segundo as indicações das pesquisas neurocientíficas, nosso cérebro encontra muito mais satisfação em servir ao próximo do que em obter microprazeres fugazes e egoístas. Desse modo, os valores hedonistas cultuados em alto grau por nossa sociedade consumista-materialista não refletem, de modo algum, os valores que nosso cérebro realmente busca. Portanto, valores como solidariedade, altruísmo e cooperação tendem a gerar muito mais alegria, serenidade e senso de utilidade ao nosso cérebro faminto por sentido e propósito.

Escolhendo o lugar do dinheiro por mim mesmo

Notem o paradoxo: quanto mais buscamos a famigerada "independência financeira" para somente DEPOIS "começarmos a aproveitar a vida", tanto ANTES nos tornamos escravos do dinheiro. A famosa "segurança financeira" é uma excelente forma de aprisionarmos nossa mente em torno de um valor secundário por definição (já que, como vimos, dinheiro é meio, e não fim), enjaulando e apequenando a nossa própria mente em uma prisão de segurança máxima autoimposta.

A tal da "independência financeira" é simplesmente inatingível, pois, quanto mais corremos atrás dela, mais DEPENDENTES do dinheiro nos tornamos. É como correr para tentar alcançar a própria sombra. Você já reparou como aquelas pessoas vistas como detentoras das tão almejadas "independência e segurança financeiras" ou mesmo aquelas que nos ensinam como alcançar tão glorioso sonho estão elas mesmas sempre às voltas com isso, presas (portanto DEPENDENTES) a esse tema? A impressão que me passam é de que estão quase sempre tentando ampliar indefinidamente o próprio patrimônio (e qual seria o sentido disso se já "chegaram lá"?) ou tentando sempre manter seu próprio *status* (com medo de escorregar degraus abaixo da hierarquia social) ou procurando expor e convencer outros da importância do acúmulo pecuniário permanente (e seria preciso convencer alguém de algo quando se está absolutamente seguro da própria decisão?).

Mas, afinal, quem é dono de quem?

Desejo, outrossim, que você tenha dinheiro,
Porque é preciso ser prático.
E que pelo menos uma vez por ano
Coloque um pouco dele
Na sua frente e diga "Isso é meu",
Só para que fique bem claro quem é dono de quem...[9]

Não há problema em guiar um carro Ferrari. O problema é deixá-lo guiar a sua vida.

Não há problema em viajar de primeira classe no avião. O problema é deixar a companhia aérea classificar o que é importante para você.

Não há problema em escrever com uma caneta Mont Blanc. O problema é deixar a marca Mont Blanc escrever seu destino.

---

9 Extrato do poema "Desejos", de Victor Hugo.

Não há problema em jantar em restaurantes *gourmet*. O problema é achar que o chef é quem dá sabor à sua vida.

Não há problema em portar uma bolsa Louis Vuitton. O problema é a marca Louis Vuitton embolsar a sua paz.

Não há problema em dormir em hotéis 5 estrelas. O problema é pensar que as estrelas é que trazem brilho à sua vida.

Não há problema em calçar sapato Louboutin. O problema é deixar a grife Louboutin ser seu apoio.

Não há problema em vestir Armani. O problema é deixar a etiqueta Armani vestir a sua alma.

Uma vez tendo percebido que eu seguia cegamente o dinheiro, tal qual uma mula encabrestada segue seu pastor, comecei a tentar (e diligentemente ainda tento) reescalonar o dinheiro na minha escala pessoal de valores. Procuro de um jeito voluntário e deliberado rebaixar o dinheiro, que antes ocupava uma solene posição de destaque na minha trinca de deuses ocultos, para um grau de importância secundário em minha própria vida, tentando deixá-lo apenas como aquilo que de fato é: um meio, nunca um fim. Desse modo, para mim, hoje, independência financeira não é acumular dinheiro para aposentar-me e DEPOIS "começar a viver". Para mim, independência financeira não é mais correr como louco atrás de patrimônio material para proporcionar uma vida confortável para mim, para minha família e para a caridade, para conseguir "ficar bem na fita". Para mim, independência financeira é, isso sim, NÃO PERMITIR QUE O DINHEIRO SEJA O COMBUSTÍVEL DAS MINHAS DECISÕES E ATITUDES. Ter independência financeira não depende de um número hipotético nem de um ponto imaginário no futuro. Ter independência financeira depende apenas e simplesmente do agora e da minha mente, depende fundamentalmente da minha própria decisão íntima de abraçar a independência **DO** financeiro.

Ter independência **DO** financeiro não é o mesmo que fazer um voto de pobreza como São Francisco de Assis, não significa desapegar-se de todos os bens materiais e ir morar debaixo da ponte. Não é isso. Ter independência **DO** financeiro é livrar-se de um mito que não deve ser um fim em si mesmo, mas apenas um meio (de troca de bens e de serviços). Ter independência **DO** financeiro é, antes de tudo, conceder-se liberdade mental.

E de onde será que surgiu minha ganância monetária? Eu citaria três influências fundamentais para isso. A primeira delas é naturalmente a própria sociedade e cultura materialista-consumista em que a maioria de nós cresceu, vive e vai morrer. E não esperem de mim aqui nenhum discurso moralista de desconstrução do sistema capitalista, porque isso não é a minha praia nem é a minha intenção. Apenas aceito o ambiente em que vivo. Mas entre aceitar as regras do jogo do ambiente em que vivo, de um lado, e deixar que esse ambiente escolha por mim quais serão os meus valores mais estimados, de outro lado, existe uma distância muito grande. Não é porque a nossa sociedade tende a nos empurrar para a hiperestimulação monetária que necessariamente precisamos compartilhar desse mesmo deus em alto grau para conviver **dentro desta mesma sociedade**. E, por outro lado, também não é porque eu decidi deixar de louvar um deus social comum (o dinheiro) que passo a ter o direito de querer interferir nas decisões das outras pessoas e da própria sociedade como um todo. Trata-se apenas de uma escolha de foro íntimo e pessoal, com seus ônus e bônus associados; não se trata, em absoluto, nem de uma ruptura com meu meio social nem tampouco de uma cruzada anticapitalista com o intento de transformar o mundo. Trata-se apenas do eu comigo mesmo, e ponto.

O segundo combustível para minha avidez pecuniária tem ligação direta com as mesmas causas da minha finada obesidade. Está lembrado quando mencionei anteriormente que um dos principais motores para eu ser gordo eram meus ancestrais? Não meus ancestrais em si, mas sim o molde mental surgido com eles na Europa cem anos antes de eu nascer. A questão de terem vivido épocas muito sofridas de fome e escassez material. Pois bem, assim como o molde mental de culpa pelo desperdício foi criado naquela época para blindar a sobrevivência física deles e das gerações posteriores, um outro molde mental correlato também foi concebido naqueles tempos: acumular o máximo de recursos materiais possíveis para evitar sofrimento se outras épocas de escassez surgirem. Meus bisavôs europeus programaram em seus respectivos cérebros o tema de acumulação material e financeira para fazer frente a períodos de privação pelos quais passaram. Tal modelo mental foi naturalmente sendo passado de geração em geração até ocupar as trincheiras da minha própria cabeça. Assim, muito mais do que uma escolha voluntária minha, a compulsão econômica já veio implantada no meu "chip" cerebral.

A terceira influência para a minha sede por lucro guarda relação direta com a minha história pessoal de vida. Meus pais separaram-se quando eu tinha cinco ou seis anos de idade, aproximadamente. Não é infrequente que crianças tendam a se corresponsabilizar por eventos disruptivos que ocorrem em seu entorno, como a separação dos pais, por exemplo (vide seção "Pensamento mágico" anterior). Não é culpa dos pais, nem da criança. Trata-se sobretudo de uma característica inata do funcionamento da mente humana. Suponho que, tomado pela incompreensão e pela dor envolvidas na saída do meu pai de casa com o advento da separação, um molde mental tenha surgido para dar conta de "solucionar" a questão que se apresentava com grande potência negativa para a criança (no caso, eu) naquela situação desafiadora. O pensamento (inconsciente) – que imagino ter brotado como "solução" para os acontecimentos percebidos por mim como negativos à época – deve ter sido mais ou menos este: "*Puxa, meu pai, com quem eu tinha uma boa relação afetiva e emocional, saiu de casa. E agora? Como lidar com isso? Ah, já sei! Vou passar a idolatrar as mesmas coisas que o meu pai idolatra. Vou passar a gostar de fazer o mesmo que ele faz. Quem sabe assim, percebendo o quanto dou importância para o que ele parece gostar, ele não volte para casa? Quem sabe, se eu passar a admirar com afinco o que ele admira, ele não volte para casa, hein?!*". Imagino que uma das percepções mais fortes que eu tinha do meu pai, à época, era a de ele ser um trabalhador bastante esforçado, sempre preocupado com questões de natureza financeira, contas e dinheiro. Assim, se eu tinha essa imagem do meu pai, naqueles tempos, de ser alguém bastante voltado a questões de natureza laboral e econômica, é possível que tenha passado a assumir tais nortes como muito importantes ao intento (completamente estapafúrdios em termos práticos, é verdade, mas muito necessários como mecanismo de defesa em termos de saúde emocional e mental) para trazer meu pai de volta para casa, ou para, pelo menos, não ser abandonado por ele em meio à separação marital. E vai um parêntese aqui: não se trata, em absoluto, de querer jogar qualquer culpa ou responsabilidade nas costas do meu pai – mesmo porque não se trata de um julgamento de mérito de sua vida e da pessoa física real que ele é ou deixa de ser de fato. Trata-se, isso sim, de uma exposição de como a criança (no caso, eu) interpretou, exclusivamente à maneira dela, como o pai se comportava, e independe se essa percepção pessoal correspondia à realidade dos fatos e das pessoas envolvidas, em especial do pai (e, convenhamos, quase nunca corresponde literalmente à verdade absoluta e real, mas sim a uma visão pessoal e parcial).

Nenhuma das três influências expostas acima para me tornar ganancioso foi escolhida por mim. Assim, restaram-me duas alternativas básicas diante dessa autoanálise pessoal: considerar-me vítima do destino de ser irremediavelmente fascinado por dinheiro e continuar assim mesmo OU substituir a fundo em meu cérebro valores que não combinam com o que quero para a minha vida. Eu, hoje, opto pela segunda vertente.

O terceiro deus

Expus anteriormente minhas experiências envolvendo dois deuses ocultos que eu cultuava meio sem saber o porquê: a comida e o dinheiro. Resta agora discorrer acerca do terceiro deus do meu altar inconsciente: meu egocentrismo competitivo. Naquela mesma noite insone do exato dia do meu quadragésimo aniversário, também tive outra revelação bombástica para mim mesmo: vi cristalinamente por que eu tinha me tornado médico.

Não, caros leitores, eu não decidi ser médico porque tinha a intenção de ajudar as pessoas doentes. Não, eu não escolhi ser médico porque descendo de uma família ligada à medicina. Não, eu não resolvi ser médico porque tinha uma tremenda curiosidade científica pelo corpo humano. Eu, na verdade, tornei-me médico primeiramente para satisfazer meu egocentrismo competitivo: quis (de forma inconsciente) usar a profissão médica para me transformar em um "autotroféu" de mim mesmo.

Estudei, antes de ingressar na faculdade de Medicina, no colégio Bandeirantes, um tradicional colégio paulistano, famoso à minha época por ser talvez a escola com melhor desempenho para capacitar seus alunos a terem bons resultados nos vestibulares mais concorridos para ingresso nas melhores universidades do país. Àquele tempo, todo o sistema de provas, notas e classificação por classes e alunos era montado para, de certa forma, espelhar a competição real que acontecia pelas almejadas e concorridas vagas nas mais bem reputadas faculdades do Brasil. Competir parecia ser algo saudável e instigante para mim. Quanto melhor o desempenho que ia paulatinamente tendo durante as provas, mais eu ia me sentindo estimulado a competir e me destacar mais para melhorar minha classificação geral dentro do colégio. O ciclo foi se retroalimentando, e atingi a primeira colocação geral no colégio durante meus anos no segundo grau (atual ensino médio). Era prazeroso para mim naquela época estar no ápice da hierarquia estudantil (ao menos no quesito desempenho em notas de provas).

Fui optar, em definitivo, pela carreira médica apenas durante o último ano do colégio. E sabe por que elegi a medicina como escolha profissional? Pasmem, mas não foi por nenhum motivo muito nobre, não. Foi simplesmente por ser o vestibular mais difícil e concorrido. Se agronomia fosse o vestibular mais difícil da época, possivelmente eu estaria lidando com plantações e colheitas neste exato momento.

Para se ter uma ideia do tamanho da minha arrogância durante a época do meu vestibular, quando um colega me perguntou se eu estava preocupado em não ingressar na faculdade escolhida, simplesmente retruquei: "Se eu não passar, quem vai passar?". Outro exemplo da minha soberba na mesma época: eu prestei um único vestibular (Fuvest) e, dentre as opções possíveis (eram três escolhas em ordem de preferência), marquei somente uma única: faculdade de Medicina da USP. Tratava-se de um comportamento nem um pouco usual para os padrões convencionais, já que a maioria dos concorrentes procurava prestar diversos vestibulares com várias opções diferentes no intuito de maximizar as chances de ingresso, mas foi uma atitude em completo alinhamento com a minha até então "natural" índole esnobe e vaidosa.

Ingressei na faculdade de Medicina e fui me preocupar com a minha especialidade apenas no último ano. E adivinhem qual foi a minha escolha para especialização e residência médica? Exatamente! Neurocirurgia! Estaria eu movido por alguma paixão arrebatadora pelos mistérios do cérebro e da mente humana? Não exatamente. Eu, a bem da verdade, escolhi a especialidade médica considerada como a mais difícil e desafiadora. Nenhuma surpresa para alguém que mantinha a crescente toada pedante de inflar o próprio ego e a empáfia. Existia uma piadinha, que corria pelos bastidores da faculdade e do hospital, que dizia: "Enquanto o cirurgião cardíaco pensa que é Deus, o neurocirurgião tem certeza absoluta". E eu, estimados leitores, infelizmente tinha a nítida sensação de que estava acima deles todos.

Com o súbito afloramento dessa verdade nua e crua, que emergiu como uma erupção vulcânica na minha cabeça, pondo a descoberto e desnudando todas as engrenagens escondidas que me moviam profissionalmente, eu paulatinamente engendrei um grande processo de ressignificação e reencontro dentro da minha própria carreira. Tive que descobrir, na marra, novos sentidos para a minha antiga profissão. Os valores mais sublimes que me faltaram durante meus anos iniciais de labuta passaram a ser então por mim avidamente buscados para a minha guinada de redescoberta profissional. E isso tudo sem mudar de profissão, nem de área, nem de especialidade, mas apenas mudando o significado que o trabalho passou a representar para mim. Para a minha sorte, a nobre arte da medicina é extremamente abundante em valores atemporais humanísticos elevados, sendo apenas necessário enxergá-la com os olhos corretos.

Como era possível alguém com a capacitação técnica de alta performance para, por exemplo, atingir cirurgicamente a hipófise cerebral (situada em uma parte bem profunda do crânio) não ter se dado ao trabalho de olhar no dicionário a diferença entre os conceitos de "competir" e de "cooperar"? Competição é um jogo de ganha-perde, por definição, é necessário que alguém perca para que outro ganhe. Trata-se de um ótimo instrumento para inflar o próprio ego, pelo menos enquanto se estiver na "crista da onda", ganhando e, sobretudo, enquanto fizer sentido autoidolatrar o ego.

Analisemos agora o conceito antagônico ao da competição – a cooperação. Neste caso, temos, por definição, um jogo de ganha-ganha. Quando se está cooperando, tende a ocorrer uma mágica em que ganha quem está sendo ajudado e também, às vezes até mais, quem ajuda (para espanto de muitos, incluindo a mim mesmo).

Assim, lá estava eu, tocando inercialmente a minha vidinha, quando esse tipo de pensamento paradoxal, incômodo e disruptivo começou a querer invadir áreas antes consideradas invioláveis e blindadas no meu próprio cérebro. Estudei em um colégio paulistano de ponta, depois me formei médico na melhor faculdade de Medicina da América Latina, tornei-me neurocirurgião pela melhor residência hospitalar do Hemisfério Sul e, não bastasse isso, estagiei na Mayo Clinic e na Harvard Medical School, os dois maiores centros de excelência médica do mundo. Todos esses lugares contribuíram sobremaneira, é verdade, para eu me tornar um ótimo TÉCNICO, mas nenhum desses lugares, de fato, estimulou-me a me tornar um ser humano melhor. A melhor aula que eu tive sobre neurocirurgia não foi dada na faculdade, na residência médica, nem mesmo na prática profissional diária. Foi dada pela vida. Aprendi que tocar cirurgicamente um cérebro não é nada, absolutamente nada, comparado a tocar a alma e o coração das pessoas.

Certo dia, após minhas transformações pessoais, uma colega médica me interpelou num café de um hospital com a seguinte pergunta: "O que você mais gosta de operar?". Eu parei por um instante, olhando para o teto para refletir um pouco, e respondi: "Puxa, esta é uma pergunta um pouco capciosa para eu conseguir responder hoje em dia... Se fosse há alguns anos, talvez respondesse que gosto de neurocirurgias funcionais minimamente invasivas. Mas, hoje, a medicina tem um significado completamente novo para mim. A bem da verdade, acho que escolhi ser médico, em primeiro lugar, para satisfazer meu ego competitivo. Escolhi o vestibular mais difícil. Depois, escolhi a especialidade mais complicada no hospital mais competitivo. Fiz estágios nas duas universidades americanas de maior renome mundial. Porém, basicamente, eu fiz tudo isso para satisfazer meu egocentrismo e também, por tabela, para ganhar dinheiro e poder gozar de um bom *status* social. Em resumo, eu usava a medicina muito mais para me satisfazer do que para servir aos pacientes de verdade. Atualmente, já não trabalho mais movido por esses motores inconscientes. Hoje eu procuro utilizar a medicina muito mais como uma ferramenta para ajudar outros do que como um troféu para mim mesmo. Pensando nesses novos termos, isso muda tudo. Então, voltando à sua pergunta inicial, esse questionamento faz pouco sentido para mim hoje em dia. Gosto da cirurgia que possa ser útil ao paciente, independentemente das minhas preferências pessoais. Também gosto, por que não?, da 'não cirurgia'", quando alternativas menos invasivas sejam possíveis. Ganho menos em termos financeiros a partir desse meu novo entendimento profissional? Sim, sem dúvida. Contudo, eu nunca estive tão feliz assim, agindo desse novo modo".

O que era um bom dia de trabalho para mim? Um bom dia de trabalho para mim, antes, era um com muitas consultas e/ou muitas cirurgias, já que, no fim das contas, isso significaria mais produtividade e dinheiro em caixa. O que é um bom dia de trabalho hoje? Um bom dia de trabalho para mim hoje é quando um paciente pede para me abraçar ao final de uma consulta ou após a recuperação de uma cirurgia, dizendo que jamais poderia esperar tanto de um atendimento. Um bom dia de trabalho para mim hoje é quando uma criança, segurando firmemente a minha mão, pergunta para a mãe se poderia levar o "doutor" com ela para casa. Um bom dia de trabalho para mim hoje é poder sentir que, muito mais que meramente ter extirpado uma doença de alguém, eu, de alguma forma, pude inspirar aquele paciente a evoluir para se tornar uma versão melhor de si mesmo. Quando algum desses indescritíveis momentos ocorre na minha jornada de trabalho, é como se eu pudesse simbolicamente apenas cancelar o restante da agenda daquele dia, pois uma gratificante sensação de plenitude jamais pode ser mensurada em números, cifras ou protocolos.

Vou, neste ponto, fazer uma ressalva semelhante à que fiz antes em relação à minha atual visão personalíssima em relação ao dinheiro. Muito embora eu, hoje, esteja apaixonado pelo conceito de cooperação em detrimento do conceito de competição, isso é apenas e tão somente uma escolha de natureza individual minha; não se trata, em absoluto, de desdenhar quem se envolve com afinco em atividades competitivas, tampouco trata-se de uma cruzada para tentar convencer todo mundo a privilegiar a cooperação frente à competição. O que exponho aqui é como a minha própria escolha deliberada, voluntária e consciente de abraçar uma vida mais cooperativa e menos competitiva torna-me mais feliz. Isso não quer dizer, claro, que o mesmo faça sentido para todo mundo, uma vez que eu mesmo pontuei aqui anteriormente que talvez o mais importante não seja "o que" escolher para si mesmo, mas sim, em especial, o fato de descobrir que "existe escolha". Observação posta, prossigamos.

A vida é uma luta?

Enquanto eu levava uma rotina guiada por valores frágeis e decepcionantes, como o egocentrismo competitivo e o *status* social, minha vida foi ficando cada vez mais perdida e carente de sentido. Para onde eu estava rumando? Por que me sentia cada vez mais oco por dentro? Qual a utilidade de permanecer nutrindo uma vida ego-devotada que parecia caminhar na direção de um grande nada?

Foi assim que, naquele momento "Eureka!", fui arrebatado por uma ideia que vou apelidar aqui de "autofilosofia prática". Quando cito a palavra "filosofia", não me refiro necessariamente a grandes elucubrações retóricas profundas de Sócrates, Sêneca, Spinoza, Santo Agostinho ou Nietzsche (todos muito interessantes, por sinal). Apenas parei e pensei séria, honesta e pausadamente sobre a minha própria vida. Comecei a colocar friamente meus valores numa balança comparativa. O que faz mais sentido para mim? Cooperar ou competir? Dinheiro ou legado? Paixão ou segurança?

Dessa maneira, percebi que:

Se eu transformar minha vida numa luta, produzirei adversários ou serei derrotado.

Se eu transformar minha vida numa batalha, produzirei inimigos ou serei vencido.

Se eu transformar minha vida em entrega, tenho alguma chance de semear amigos verdadeiros.

Se eu transformar minha vida em cooperação, tenho chance de realmente "vencer".

Hoje, tenho buscado essa transição de valores, escolhendo conscientemente aqueles que parecem mais dignos de serem vividos. Atualmente, procuro domar meu egocentrismo competitivo em favor de solidariedade. Hoje, tento rebaixar o valor do dinheiro/*status* social em favor de legado. Atualmente, deixo de utilizar a medicina a meu serviço para buscar utilizá-la em primeiro lugar para benefício dos pacientes. Esta é a minha história até aqui. Só muda se EU mudar. Só muda se EU MESMO mudar.

Eu hoje percebo com maior nitidez que força para lutar não é o mesmo que ânimo para viver significativamente; que vigor para batalhar não é o mesmo que coragem para escolher quem se quer ser; que energia para vencer não é o mesmo que ousadia para expor o melhor de si mesmo. Eu hoje enxergo com maior clareza que competição é um jogo ganha-perde, enquanto que cooperação é um jogo de ganha-ganha. Sempre queremos ganhar, mas, quando perdemos às vezes, vem alguém bater no nosso ombro dizendo: "O importante é competir!". Será mesmo?

Desprofissionalizar

Quando pergunto, durante uma consulta médica, a alguém "o que você faz da vida?", invariavelmente obtenho como resposta algo do tipo: "Eu SOU contador" ou "eu SOU secretária." Mas reparem que perigo misturar "quem eu SOU" com "qual é a minha profissão ou ocupação laboral". Será que a nossa profissão é o que realmente nos define como seres humanos? Pode até parecer besteira ou mesmo um excesso de zelo linguístico da minha parte, mas desconfio que talvez não seja apenas isso. Acredito que possamos estar, sim, confundindo e misturando um pouco as coisas nesse aspecto.

Eu posso inconscientemente, ao responder esse tipo de pergunta desse modo, estar deixando que a minha profissão ou ocupação laboral defina-me de fora para dentro, como um carimbo em um documento de repartição ou mesmo como um espécime de gado marcado a ferro quente em uma criação. Será que não seria melhor pensar: "Eu sou fulano. Apaixonado por tal coisa. E, no dia a dia, faço coisas que são compatíveis e alinhadas com essa minha essência, com esse meu propósito"?!

Algo parece não bater direito quando eu considero que a minha profissão, o meu cargo ou a minha carreira sejam um fim por si mesmos. Será que não seria mais apropriado pensar que o meu trabalho seja um INSTRUMENTO, uma ferramenta por meio da qual eu possa compartilhar o melhor de mim mesmo com o mundo?

Aqui vai então uma sugestão para a próxima vez em que alguém lhe perguntar o que você faz da vida. Talvez uma resposta mais adequada possa ser: "Eu sou alguém que busca semear o melhor de mim mesmo com o mundo ao meu redor. E, para tal propósito, eu faço isso, isso e aquilo". Que tal, hein?

O que significa vencer na vida?

Hoje ouvi uma propaganda no rádio do carro em que se mencionava a expressão "vencer na vida". Senti um arrepio e uma sensação de *déjà vu*. Eu, um dia, acreditei que vencer na vida era ganhar muito dinheiro. Já imaginei que vencer na vida fosse talvez ficar famoso. Já cheguei a supor que vencer na vida significava ser melhor que os meus pares. Se é assim que se joga o jogo da vida... Se essa é a grande "vitória" prometida... Se são esses os tais "louros" da glória... Se eu preciso superar, competir, derrotar e sobrepujar outras pessoas para "vencer na vida"... Bom, daí talvez eu prefira ser visto como um derrotado mesmo.

Atualmente prefiro vencer os meus próprios medos, superar minhas próprias inseguranças, derrotar minhas falsas crenças e sobrepujar meu antigo estilo de vida. Vencer na vida hoje em dia para mim representa encontrar a felicidade dentro de mim mesmo, estar mentalmente aberto e flexível para evoluir, surpreender o mundo com o meu melhor possível e, sobretudo, poder dizer ao fim da linha que vivi com plenitude, dentro do melhor das minhas possibilidades, sem arrependimentos.

Ouvimos com certa regularidade ditos como: "Nunca desista de lutar!", "Só vence quem batalha!", "Temos que matar um leão por dia!" e várias outras frases correlatas... Na minha experiência pessoal, tais conceitos de "vitória", "derrota" e "luta" foram vivenciados em alguns estágios sequenciais:

1º estágio: lutei ferozmente anos e anos a fio contra o mundo. Queria transformar o mundo ao meu gosto, mudar todas as pessoas e as coisas à minha volta. Achava que tudo que não fosse compatível com as minhas opiniões e crenças estava obviamente errado. Mas está claro que se tratou de uma ilusória guerra quixotesca contra moinhos de vento.

2º estágio: ao perceber que aquele jeito de encarar as coisas naturalmente não iria dar certo e apenas traria mais e mais sofrimento, tratei de voltar o foco a mim mesmo. Passei a descarregar toda a energia de "confronto" contra mim. Concentrei fogo e artilharia pesada no meu íntimo. Lutei freneticamente contra mim até conseguir "sepultar" um jeito de ser que não me interessava mais.

3º estágio: hoje tento meio que não mais "lutar" tanto, nem contra o mundo, nem contra mim. Procuro mais por "cooperar" comigo mesmo. Trata-se de uma forma mais gentil de me ajudar e, assim, evitar que o meu "combate" (seja externo ou interno) respingue negativamente em mim ou no meu entorno.

Das competições

A competição parece ser tema recorrente em dois tipos comuns de modelos mentais: tanto nos indivíduos que se sentem hierarquicamente acima, quanto naqueles que têm a sensação de estar sempre abaixo das outras pessoas.

Na situação de percepção pessoal de se estar sempre em uma posição superior à maioria das outras pessoas, a competição geralmente serve ao propósito de alimentar a ilusão dessa superioridade. Seria algo como competir para tentar manter-se sempre "acima" dos outros. Na outra ponta, a de percepção pessoal de estar posicionado sempre abaixo da maioria, a competição pode servir como uma fantasiosa escada rumo à igualdade ou mesmo à superação dos demais. A competição, nesse caso, também pode estar a serviço de contestação e crítica aos outros, alimentando a ilusão de inferioridade. Seria como competir para igualar-se ou mesmo para ter um pretexto para reclamar dos que competem e da própria pretensa situação de rebaixamento.

Transformar esses moldes mentais em um modelo de "nivelamento" talvez possa ser útil. Perceber-se não acima nem abaixo dos outros, mas sim ao lado. Não se trata aqui de propor a homogeneização dos diferentes, mas de não desnivelar os distintos. Trata-se, pois, de buscar apreciar a beleza **não hierárquica** da multiversidade dos indivíduos.

O instinto competitivo parece também ter raízes biológicas inatas que remontam à nossa ancestralidade evolucionária filogenética. Animais em geral competem por território, por comida, por hierarquia de poder no bando e também pelo direito de acasalar. A competição parece também estar fortemente ligada ao desenvolvimento da personalidade infantojuvenil. Ela serve como uma forma de lapidar competências e habilidades e também parece ser útil para facilitar a criação de um senso mental de indivíduo único, apartado do mundo ao redor (a famosa formação natural do ego).

Apesar de útil ao desenvolvimento evolucionário animal e também à construção da personalidade individual na fase infantojuvenil, seria a competição o fim da linha em termos de amadurecimento intelectual? Seria a competição a única maneira de nos posicionarmos em relação ao mundo à nossa volta? Seria a competição a melhor forma de interação frente a todos em nosso entorno? Será que a competição extremada e desconectada do sentido biológico primitivo não estaria produzindo efeitos distorcidos em larga escala social? Será que a competição extrapolada, para além das funções biológicas e infantojuvenis, não estaria contribuindo para fomentar guerras, violência social, conflitos e disputas absurdas muito além da conta?

Um exemplo da adaptação da competição para uma esfera teoricamente mais pacífica é o esporte, que poderia ser entendido como a ideia de canalização da energia competitiva para um cenário civilizado não destrutivo. Há também outra forma de competição que talvez também seja menos destrutiva: a competição "intrapessoal", ou seja, aquela competição do tipo "eu comigo mesmo", não contra os outros. Eu competindo comigo mesmo para buscar me tornar uma pessoa melhor a cada dia.

Contudo, para além do conceito de competição, talvez resida a noção mais próspera de COOPERAÇÃO. Ao deixarmos de lado um pouco o jogo de soma zero (ganha-perde) ou até por vezes de soma negativa (perde-perde) da competição, poderíamos talvez nos beneficiar do jogo de soma positiva (ganha-ganha) da cooperação. É claro que a cooperação não tem atributos apelativos tão dramáticos, intensos, aventureiros e inflamados como os da competição. A força da cooperação é bem mais sutil e delicada, um poder mais subliminar, discretamente construtiva. É mais ou menos como se a competição fosse aquele(a) rapaz/moça para namorar e a cooperação fosse aquele(a) rapaz/moça para casar (eu sei, eu sei. É uma péssima e rude metáfora sexista, machista e politicamente incorreta, mas é a imagem mais viva que me ocorreu no momento para ilustrar o tema. Desculpe). Parece que a cooperação nos é menos natural, menos instintiva, um conceito um tanto menos familiar. Porém, não seria interessante que passássemos a "treinar" mais esse conceito? Não seria positivo e até desejável se passássemos a praticar mais e mais a ideia menos empolgante da COLABORAÇÃO?

Notemos que talvez até mesmo no nível estritamente individual isso possa ser útil. E se, em vez de competir, eu passasse a *cooperar* comigo mesmo? Não seria mais agradável eu ME AJUDAR no dia a dia e me transformar para melhor do que tentar competir comigo mesmo? Será que competir contra mim mesmo não carregaria uma ideia inconsciente de "culpa" ou "punição"? Não seria então mais apropriada a ideia de colaborar (e não competir) para me autoajudar? A ideia colaborativa "intrapessoal" talvez possa ligar-se a um conceito mental de mais "aceitação" e "prosperidade". Como será que fica mais fácil eu desenvolver um senso de autoestima, de autovalor e de amor-próprio: competindo ou cooperando comigo mesmo?

Feliz Dia das Mães

De onde será que veio a minha inclinação a um comportamento competitivo? Além das influências biológicas, psicológicas e sociais já mencionadas anteriormente (que são comuns a todas as pessoas), existia uma causa determinante relacionada à minha história particular de vida.

A minha mãe não parecia ser uma pessoa que conseguisse demonstrar com facilidade afeto e carinho. Diferentemente de outros adultos (como meu pai ou minha tia) que habitavam o meu lar durante a minha infância, ela costumava primar pela competência, pela retidão de caráter, pela pontualidade e pela correção moral. Minha mãe aparentemente valorizava mais essas características do que o prazer, o contato físico, a amabilidade ou a ternura. É claro que isso tudo faz parte da minha percepção individual subjetiva em relação ao que vivi naqueles tempos, o que não quer dizer, naturalmente, que se trate da realidade concreta ou da verdade absoluta, nem da leitura que outros personagens do mesmo lar possam eventualmente fazer.

Ao sentir, quando criança, certa falta de fluidez sentimental entre mim e ela, passei a criar um molde mental no meu cérebro para procurar uma solução plausível ao desconforto gerado por essa percepção negativa de relacionamento interpessoal experimentado com a minha mãe durante a infância. O objetivo do programa mental era o de tentar obter formas e expressões de amor que não vinham conforme eu supunha que merecesse na época (vide seções "Pensamento mágico" e "Cabrestos" do capítulo anterior). Qual foi, então, a solução mental encontrada de forma reflexa e inconsciente pelo meu cérebro para "resolver" o problema? Eu passei a tentar imitá-la, a mimetizá-la.

O meu cérebro supôs que, se eu passasse a ser e me comportar exatamente como ela, se passasse a espelhá-la ao máximo, daí, sim, ela viria a demonstrar o carinho e o afeto que eu não conseguia notar de forma evidente durante meus idos pueris. Assumi, então, uma série de características e comportamentos parecidos com os de minha mãe com a intenção de obter amor, afeto e carinho que pareciam não vir da forma como eu supunha que merecia. O "eu criança" imaginou: *"Se eu for como ela, talvez daí ela passe a ser mais afetuosa comigo!"*. Assim operou minha mente infantil e, dessa forma, grande parte da minha personalidade foi formatada.

Dentre as minhas transformações pessoais subsequentes àquela noite especial do "arrá!", uma das mais significativas é a de tentar deixar de ser ultracompetitivo em prol de uma vida mais colaborativa. Essa raiz competitiva possivelmente tem grande influência desses aspectos da minha infância. Outra transformação: tentar ampliar minhas conexões interpessoais. Antes dessas mudanças, eu tinha a nítida sensação de que podia até "perder um braço amputado" se abraçasse alguém. Muito provavelmente talvez fosse a criança dentro de mim falando: *"Não abrace! Assim você não será como a sua mãe! Assim ela não vai te amar! Sem o amor da sua mãe, você pode até morrer!"*.

Uma percepção pessoal recente minha: de que adianta eu conhecer todas as teorias, toda a religiosidade, toda a espiritualidade, todas as filosofias e ainda por cima dar conselhos a outros **sem antes aplicar isso na minha própria raiz**? Eu nunca tinha dito "eu te amo" para a minha mãe (pelo menos não de forma livre, voluntária, honesta e saído da minha própria alma). Isso mesmo. Nunca tinha dito "eu te amo" para a minha mãe. Esta sina foi quebrada no Dia das Mães do ano subsequente àquela fatídica noite exposta no início deste capítulo. Naquele dia maternal simbólico, eu a encontrei e disse mais ou menos assim:

*"Mãe, obrigado por ser minha mãe. Eu só existo graças a você. Eu sou o que sou, em grande medida, por sua influência. Agradeço que você seja a minha mãe. Você ofereceu a mim tudo, absolutamente tudo, o que pôde dentro das possibilidades que estiveram ao seu alcance. Se você carrega alguma sensação de que deixou de oferecer algo, isso simplesmente não corresponde à verdade, pois não é possível oferecer algo que está além das suas próprias condições. Mãe, eu te amo. Hoje, estou livre para dizer que **eu te amo**."*

O mais perto que consigo descrever sobre o que senti é que um peso de 40 anos verteu-se em lágrimas e me trouxe uma paz e uma leveza imensuráveis. Como fiz antes no caso do meu pai, vale aqui a mesma observação no caso da minha mãe: não estou responsabilizando ou culpando minha mãe, muito menos julgando sua vida e suas escolhas. Quero apenas explanar como uma criança pode interpretar, a partir de sua percepção de realidade, o comportamento das pessoas ao redor — nesse caso, a mãe. Não se trata, entretanto, da verdade absoluta e real, mas sim de uma visão pessoal e parcial.

OMG

Pois é, os deuses meio que apareceram sem perceber, né? Quem nunca? Uma série de sacrifícios diários que eu fazia antes: às vezes um "cordeiro", às vezes uma "virgem", às vezes "jejum ou caminhada de joelhos", às vezes "carregando uma cruz nas costas". Não sei você, mas eu devotei quarenta anos da minha vida àqueles três deuses. Isso mesmo que você leu: eu tinha lá o meu altar inconsciente, a minha religião oculta de adoração aos meus três deuses invisíveis. Uma religião individual para chamar de minha.

Fosse dedicando tempo, energia ou empenho, fosse servindo compulsivamente, o fato é que eu nunca deixava de beber daquela fonte. Fizesse chuva ou fizesse sol, as minhas três divindades estavam sempre recebendo as minhas oferendas. Ai do herege pecador que ousasse contestar o meu culto: correria o sério risco de ser excomungado da minha religião de um homem só.

Note-se que não é necessário ir a missas, templos, sinagogas, retiros, mesquitas ou congregações para se dedicar a um credo incontestável. No fundo, todos nós, sejamos ateus, agnósticos ou teístas, temos crendices ocultas em nossos próprios altares mentais. Trata-se de uma religião única, própria e individual, que guia a nossa vida (para o bem ou para o mal), tenhamos noção disso ou não. Custamos muito a compreender duas verdades muito inconvenientes sobre esse nosso sistema pessoal de crenças: primeiro, ele em geral não é uma escolha individual livre, consciente e absolutamente voluntária (mas pode vir a ser) e, segundo, ninguém mais (além de apenas nós mesmos) está interessado em ser adepto praticante dessa nossa religião íntima.

Não rezamos apenas antes de dormir, a nossa mente reza O TEMPO TODO para satisfazer nossos "deuses" (portanto, escolha-os bem). Não oramos apenas quando estamos em uma igreja, o nosso cérebro ora O TEMPO TODO para servir aos nossos credos (então, vale a pena saber quais são). Não meditamos apenas de olhos fechados concentrados na respiração em um retiro, o nosso pensamento É PRATICAMENTE UMA

MEDITAÇÃO AMBULANTE em busca de atender aos nossos moldes e cabrestos mentais (escolha-os, assim, com sabedoria).

Quando alguém venera em alto grau o "deus pontualidade", pode-se, por vezes, atropelar qualquer forma de gentileza no trânsito (especialmente se a gentileza não for um dos santos do altar mental). Quando alguém idolatra em alto grau o "deus estética", pode-se, por vezes, mutilar o próprio corpo. Quando alguém é devoto em alto grau ao "deus sexo", pode-se, por vezes, dificultar a própria vida em meio à promiscuidade.

Esse assunto serve de gancho para a sequência do próximo capítulo…

ERA UMA VEZ...

Mitologia é o nome que damos às religiões dos outros.
Joseph Campbell

O segundo pilar (daqueles quatro mencionados no capítulo inicial "Uma pitada de ciência") encontra-se na excitante e surpreendente interface entre a neurociência e a antropologia. Alguns antropólogos definem, em termos técnicos, o *Homo sapiens* como um bípede que usa as mãos e conta histórias. Permita-me voltar cerca de 70 mil anos no tempo: naquela remota época, a nossa espécie dividia o globo terrestre com pelos menos outras quatro ou cinco espécies humanoides do gênero *Homo*, como o Homem de Neandertal e o *Homo erectus*, por exemplo. Naqueles tempos, nós, os seres humanos ditos *Homo sapiens*, não estávamos no topo da cadeia evolutiva ainda. Não existia a supremacia humana dominante sobre o planeta Terra, tal qual a conhecemos hoje. E o que fez, em "meros" (ao menos em termos de escala temporal geológica) 70 mil anos, a nossa espécie saltar de apenas mais uma entre outras tantas espécies de primatas superiores que coabitavam o planeta para a espécie animal que reina francamente suprema na atualidade?

Não, não foi porque tínhamos uma inteligência superior. Não, não foi por conta da extrema habilidade das mãos para confecção de ferramentas e instrumentos. Não, também não foi devido ao domínio do fogo. O cérebro do *Homo sapiens* não era fundamentalmente tão diferente ou superior ao de seus congêneres hominídeos de outras espécies. Outras espécies de primatas superiores também já vinham desenvolvendo o uso de ferramentas mesmo antes do surgimento da nossa própria espécie. O controle do fogo não era exclusividade do *Homo sapiens*, já que outras espécies do gênero *Homo* também tinham algum domínio sobre ele.

Talvez a característica única e peculiar que nos tenha mais preponderantemente catapultado rumo à glória do ápice evolucionário no reino animal seja… tchan, tchan, tchan, tchan… pasmem: CONTAR HISTÓRIAS! O ato tão comum e corriqueiro que nos é tão familiar de CONTAR HISTÓRIAS. Surpreendente, não é mesmo? Antes do advento da contação de histórias e narrativas, os humanos conseguiam agregar-se em grupos e clãs familiares de, no máximo, setenta a oitenta indivíduos. A partir desta massa crítica de pessoas, acontecia algo como um desmantelamento ou desagregação do grupo. Parecia faltar alguma cola, algum fator unificado, algo que pudesse manter coeso um grupo humano maior do que setenta a oitenta indivíduos. Por algum motivo ainda não completamente esclarecido, há aproximadamente 70 mil anos, algo ocorreu dentro do cérebro dos nossos ancestrais para permitir que passassem a compartilhar, contar e acreditar em histórias, símbolos e narrativas comuns. Os antropólogos e historiadores chamam isso de REVOLUÇÃO COGNITIVA. Trata-se de um ponto absolutamente crucial de inflexão na curva humana de desenvolvimento e evolução, talvez até mais importante em relação aos precedentes adventos da concepção de ferramentas, controle do fogo e também aos subsequentes adventos da agricultura, da escrita, da indústria etc. Quando os *Homo sapiens* começaram a contar histórias uns aos outros, automaticamente passaram a compartilhar crenças, mitos, símbolos e ícones em comum. E foram as narrativas e símbolos compartilhados em sociedade que tornaram possível a transposição da limitação numérica de grupos e clãs, que atingiam seu máximo com apenas algumas dezenas de indivíduos.

A revolução cognitiva possibilitou um salto evolutivo incrível. O que será que esses nossos ancestrais começaram a dizer e acreditar em conjunto? Crenças em divindades naturais? Histórias de heróis hiperbólicos antigos? Narrativas fantasiosas de animais? Ícones de possibilidades futuristas? Símbolos vegetais, aquáticos ou minerais semi-humanos? Metáforas celestes imaginativas? Independentemente de quais tenham sido as crenças, as histórias ou os ícones compartilhados pelos *Homo sapiens* nos períodos subsequentes ao advento da chamada Revolução Cognitiva, o mais interessante, em termos histórico-antropológicos, foi que isso passou a ser a grande mola propulsora que nos empurrou adiante. A partir daí, por passarmos a compartilhar crenças e mitos comuns, facilmente conseguimos constituir grupos humanos cada vez maiores, de até duzentos ou trezentos indivíduos que começaram a se agregar em torno de narrativas e símbolos com sentidos comuns compartilhados. Assim, como o que nos torna poderosos não somos nós individualmente, mas sim a força comunitária, passamos a suplantar (um eufemismo para *dizimar*) todas as outras espécies humanas que um dia ensaiaram habitar nosso globo: foi a sentença de morte para os *Homo erectus, Homo neanderthalis* e outros. Conforme nos estabelecíamos em grupos cada vez maiores, nos tornávamos mais poderosos e mais propícios a evoluir e nos desenvolver de forma exponencial. A Revolução Cognitiva marcou indelevelmente o cérebro humano para nos tornar seres gregários e sociais. Saímos de grupelhos simples de poucos indivíduos para comunidades cada vez maiores e mais complexas desde então: tribos, bandos, cidades, estados, reinos, impérios, civilizações, nações, países, até atingirmos a gigantesca comunidade humana praticamente global em que vivemos hoje.

 É fundamental notarmos que, apesar de não mais acreditarmos nas mesmas histórias e mitos em que nossos ascendentes de 70 mil anos atrás acreditavam, todos nós continuamos a compartilhar ícones e símbolos abstratos comuns que nos mantêm socialmente unidos. Cremos todos, por exemplo, numa ideia (virtual e abstrata em absoluto) de nome "dinheiro". Antigamente, nossos ancestrais chegaram a usar o sal e o gado como representações reais do ícone virtual do "dinheiro" (símbolo associado à ideia de meio de troca de mercadorias e serviços). A palavra "salário", que usamos até hoje, deriva da época do dinheiro simbolizado na forma de sal. As palavras "pecúnia" e "pecúlio" derivam da época em que o dinheiro era acreditado sob a forma de gado (do latim "*pecus*"). Depois, passamos a crer no dinheiro sob a forma de pequenos discos metálicos (moedas). Mais adiante, sob comum acordo social, pactuamos que o dinheiro poderia ser narrado como pedaços de papel com desenhos variados (cédulas). Atualmente, números virtuais numa tela brilhante nos bastam para comunicarmos a mesma ideia básica de "dinheiro".

Símbolos, ícones, crenças e narrativas permeiam tudo o que fazemos. Vou dar outro exemplo. Leia a próxima palavra que eu vou escrever: CADEIRA. Uma imagem apareceu na sua mente. Essa imagem que está dentro da sua cabeça tem provavelmente um assento para os glúteos, um encosto para as costas e alguns apoios para o chão. Isso só foi possível porque existe um acordo tácito entre mim e você de que as letras C-A-D-E-I-R-A, grafadas juntas, nessa ordem, representam simbolicamente o objeto que ambos concordamos em nomear dessa forma. O dia em que deixarmos de acreditar nisso, esse ícone (formado por uma imagem inicial de semicírculo "C", depois por um triângulo "A" etc.) perderá completamente o sentido. Isso com certeza já ocorreu no passado com as chamadas "línguas mortas", como o latim e os hieróglifos egípcios. Outro exemplo: quando você está ao volante guiando um automóvel e, ao aproximar-se de um cruzamento de ruas, nota uma luz de cor vermelha, você provavelmente tirará o seu pé apoiado no pedal direito (acelerador) e pressionará o pedal do lado esquerdo (freio). O carro parará. Um marciano que visse a cena poderia achar o fato bizarro, afinal você interrompeu o movimento do carro "apenas e tão somente" devido a uma luz avermelhada e não devido a uma cancela, um muro, uma parede ou um obstáculo "real" à sua frente. Trata-se de outro símbolo comumente partilhado entre motoristas e pedestres mundo afora. Serve para muitos *Homo sapiens*, mas não serve nem para corujas, nem para marcianos.

O poder singular das histórias e narrativas como alicerce mental humano é tão grande que não surpreende a popularidade da literatura ficcional frente à literatura técnica, a estima por filmes, novelas e seriados e a força das histórias de mitos, heróis e contos de fadas ao longo de gerações. Quer prender imediatamente a atenção de uma criança? Comece a contar uma história.

Com o advento da Revolução Cognitiva ocorrida no cérebro dos nossos ancestrais, a humanidade passou a cooperar em grupos cada vez maiores em torno de símbolos, histórias e mitos comuns concebidos pela mente humana. As narrativas e ícones passaram a ser artifícios para a disseminação e a propagação social de lendas, folclores e valores culturais comuns a grupos cada vez mais gregários de indivíduos. Tudo isso vem evoluindo exponencialmente até o momento presente, no qual continuamos compartilhando crenças sociais e culturais comuns, tais como as abstrações conceituais de "países", "governos", "marcas", "religiões", "profissões", "dinheiro", e por aí vai. Estes são alguns simples exemplos contemporâneos de mitos culturais comuns partilhados pela maioria de nós. Trata-se de símbolos culturais que permeiam o nosso inconsciente coletivo – tudo isso sustentado por narrativas e histórias por nós assimiladas ao longo de toda a nossa vida, seja via aprendizado consciente, seja por assimilação inconsciente.

Tão importantes quanto as histórias e narrativas que o ambiente social nos doutrina, são também fundamentais as histórias e narrativas que criamos e contamos para nós mesmos enquanto indivíduos. E aqui vai a pergunta que, como médico restrito ao ambiente hospitalar ou de consultório, raramente tenho a oportunidade de fazer: "Qual é a história que você cria para a sua própria vida? Qual é a narrativa que você concebe para si mesmo para interpretá-la? Será que você conta a história de uma pessoa azarada pelo destino, vítima de uma enormidade de infortúnios e contratempos que o limitam?". Tomemos muito cuidado. Como exposto, tais histórias e narrativas são talvez as ferramentas mais poderosas já concebidas até hoje pela engenhosa mente humana, pois são elas que governam e organizam todo o mundo à nossa volta. Desse modo, é fundamental que você reflita muito bem, de forma detida e consciente, sobre qual é a história que pretende contar a si mesmo de como viver. Na verdade, não é a vida que você leva que gera o resumo da sua narrativa, mas é a história que você conta a si mesmo todos os dias (ciente disso ou não) que te leva a interpretar a vida que você criou através de sua narrativa. Assim, que tal começar a parar de narrar um enredo pobre e fatalista e passar a contar uma narrativa mais bonita, mais profícua e significativa para que você passe a ser um protagonista mais feliz e realizado dentro da sua própria história?

Rei e rainha

Ontem, entramos no carro eu, minha filha mais velha (que se sentou no banco da frente ao meu lado), meu filho mais novo e uma amiguinha deles (ambos no banco de trás). Meu filho sentou-se em um assento já elevado, próprio para crianças. A amiguinha iria sentar-se no outro lado, mas o assento ainda não estava elevado. Pedi para que ela puxasse a alça da alavanca para que o assento dela também se erguesse, assim como o do meu filho. Ela questionou por que e cogitou sentar-se sem elevar o assento, mesmo sendo necessário para a segurança dela devido à sua faixa etária.

Comecei a imaginar como poderia explicar para ela que isso era obrigatório por lei, que assim o cinto de segurança se adaptaria corretamente à altura dela, que os policiais poderiam ficar bravos conosco se a vissem sem o assento apropriado, que existiam regras para isso, e blá-blá-blá... Esses pensamentos todos foram cruzando a minha cabeça, mas não precisei falar nada porque, ao perceber o que eu estava pensando, minha filha (que estava no banco da frente) simplesmente virou-se para trás e disse:

– Veja, o rei já está sentado no trono. Agora só falta você arrumar seu trono de rainha para poder se sentar também!

Meu queixo caiu. Minha filha fez, num piscar de olhos, o que eu provavelmente levaria alguns minutos e muito custo mental para conseguir: que a amiguinha entendesse, concordasse e fizesse o que eu estava pedindo. Pisquei para minha filha e agradeci, dizendo que ela tinha sido simplesmente brilhante na forma como lidou com a situação.

Narrativas e conexões

Minha irmã relatou-me uma experiência que viveu durante um jantar em um restaurante. Apesar de estar jantando acompanhada por conhecidos, ela (e também os outros que a acompanhavam) não pôde deixar de ficar atenta e interessada na conversa de outras pessoas que estavam sentadas à mesa atrás da sua. Segundo o que minha irmã relatou, tratava-se de uma história emocionante contada, em um nível sonoro suficientemente elevado, por alguém que não se importava em expor sua história pessoal com os convivas de sua própria mesa (e, pelo visto, com outros estranhos nas adjacências). Era um causo que envolvia um divórcio difícil e recente, as angústias referentes a uma possível mudança de moradia para o interior e outros aspectos envolvendo a vida pessoal e familiar da narradora sentada na mesa atrás da minha irmã. É notável ressaltar que a atenção da minha irmã era tamanha que ela foi capaz de lembrar-se dos nomes próprios de todos os principais personagens reais envolvidos na história contada pela (des)conhecida da mesa de trás.

Uma semana antes, eu mesmo havia protagonizado uma situação correlata: eu tomava café da manhã em um hotel com um grupo de amigos e conversávamos a respeito da palestra que eu ministrara momentos antes, aprofundando aspectos da minha vida pessoal para ilustrar os temas e conceitos envolvidos na conversa, quando reparei que, na mesa ao lado, havia um senhor sozinho (cuja fisionomia marcante lembrava uma mistura de Reginaldo Rossi com Agnaldo Rayol) lendo um jornal e tomando seu café da manhã. Conforme a conversa na minha mesa transcorria, fui notando que a atenção desse senhor foi se desviando progressivamente em direção a nós. Percebi isso pelo fato de ele ir, com o passar do tempo, deixando seu jornal cada vez mais de lado e pelo progressivo reposicionamento de corpo, cabeça e especialmente ouvido em direção à nossa conversa. Ao me levantar, ao término do café da manhã, esse mesmo senhor de fisionomia e interesse peculiares levantou-se conosco e foi ao meu encontro. Ele disse, então, que gostou muito do tema da conversa que ouviu, apresentamo-nos mutuamente e trocamos cartões de visita de forma breve.

As histórias e narrativas pessoais talvez sejam um dos maiores instrumentos capazes de fomentar vínculos entre indivíduos. As narrativas nos fazem conhecer e ser conhecidos, tocar e ser tocados, sentir e ser sentidos.

PATERNIDADE

Nunca existiu uma pessoa como você antes. Não existe ninguém neste mundo como você agora nem nunca existirá. Veja só o respeito que a vida tem por você. Você é uma obra de arte impossível de repetir, incomparável e absolutamente única.
Osho

Depois de conseguir desvencilhar-me da tirania daqueles meus três "deuses" que reinavam ocultos no meu inconsciente, eu pude então passar a reconciliar-me com ideias e valores há muito tempo esquecidos ou mesmo com alguns outros que nunca desenvolvi. Passei a valorizar coisas que antes estavam completamente à margem da minha vida, tais como amizades, encontros interpessoais reais, música, troca de contato físico, escrita, arte, karaokê, dança, compaixão, liberdade, ócio criativo e várias outras que ainda estou descobrindo.

No quesito amizade, passei a estabelecer (e reconectar) laços com muitas pessoas fantásticas (novos e também velhos conhecidos). Entre elas, vou aproveitar agora para relatar a história de um amigo meu que guarda relação com o segundo pilar neurocientífico que expus no capítulo anterior, que tratou de símbolos e narrativas.

Marcos estava lá com seus vinte e poucos anos, curtindo sua juventude em festas e baladas com amigos, quando, após mais um encontro descompromissado e furtivo com uma garota (entre tantos outros que ele costumava ter à época), acabou sendo surpreendido pela notícia de que ela estava grávida em virtude da única noite que passaram juntos. Marcos seria, de uma hora para outra, pai de uma criança cuja mãe ele não tinha qualquer interesse em manter um relacionamento monogâmico estável de longo prazo. Aturdido, em pânico com a notícia e sabendo que não tinha a menor intenção nem de se casar com a garota e nem mesmo de assumir o papel de pai da criança, Marcos foi, com o tempo, induzindo a menina a aceitar a ideia de descontinuar a gravidez. Após exercer uma pressão psicológica e emocional intensa, a jovem garota afinal concordou em interromper a gestação. Desse modo, no dia seguinte ao aniversário de dezoito anos da garota, Marcos buscou-a na casa dos pais dela, onde ela morava, em uma cidade próxima do interior, e a levou à capital paulista para o local onde foi realizado o procedimento abortivo. Após isso, ele teve que esperar até que ela se recuperasse da anestesia por algumas horas em seu apartamento de solteiro na capital, antes de levá-la de volta à casa dos pais dela no interior, isso tudo sem que ninguém, além de Marcos e dela, pudesse desconfiar de nada. Estava feito. Um alívio temporário para dois jovens imaturos e uma marca indelével e definitiva na vida de todos os envolvidos.

 A vida de Marcos seguiu seu caminho nos vários anos que se passaram, ignorando e sepultando o mais profundamente possível o ocorrido. Caminho esse não tão diferente daquele do início da juventude, diga-se de passagem. Estava lá Marcos então envolvido de novo com suas múltiplas aventuras românticas e boêmias quando a notícia de outra gravidez inesperada o surpreendeu. Glória era uma dentre três "ficantes-pretendentes-namoradas" simultâneas do turno. O telefonema de Glória para Marcos informando sobre o resultado positivo do teste de farmácia parece ter feito antigos fantasmas e zumbis subitamente levantarem das sepulturas íntimas de Marcos. Uma inevitável sensação de *déjà vu* tomou conta da sua mente. Baseado no estilo de vida da época e na experiência anterior, Marcos cogitou tentar convencer Glória a agir do mesmo modo que havia feito vários anos atrás com a outra garota. As pessoas, as circunstâncias e as convicções agora eram outras, porém. A cessação da gestação, neste caso, estava absolutamente descartada. Marcos agora teria que lidar, de algum modo, com a condição de futuro pai. Conforme o ventre de Glória crescia, Marcos teve que ir digerindo a ideia incômoda de ser pai, mas não admitia a possibilidade de casar-se com Glória. Ele aceitava (contrariado) a ideia de assumir a paternidade, mas rejeitava completamente a possibilidade de casamento. Em um encontro para conhecer os pais de Glória, ele expôs sua intenção de responsabilizar-se (tecnicamente) como pai da criança, porém reiterou sua não intenção de conviver como casal com a filha deles, visto que não nutria sentimentos românticos suficientes para isso. Ele acompanhou, na medida do possível, o pré-natal e o parto e, vez por outra, aparecia para visitar Glória e a filha, Ana, nos primeiros seis meses após o nascimento. A partir daí, os laços dos três aparentemente foram ficando mais estreitos e próximos. Quando Ana estava com quase um ano de idade, Marcos recebeu uma proposta de trabalho interessante em uma cidade do litoral paulista e decidiu convidá-las para irem com ele. Assim foi feito. Os três então passaram a morar juntos sob o mesmo teto numa tentativa inicial de constituir uma família.

Marcos ainda cometia alguns deslizes e equívocos no tocante aos seus novos papéis de pai e marido. Contudo, movido talvez um pouco pela tranquilidade da atmosfera mais serena da cidade litorânea pequena, movido talvez também pelo medo interno de falhar nesses papéis, ter repugnância pela ideia de que a própria filha pudesse um dia chamar outro homem de pai se fosse substituído, e também talvez movido um pouco por um desejo íntimo ainda não desenvolvido por completo de amadurecer de fato, Marcos foi lenta e progressivamente aceitando e sendo aceito, escolhendo e sendo escolhido. O pai baladeiro, libertino e ausente foi, de algum modo, cedendo lugar a uma nova versão de Marcos: marido e pai por opção.

Aos trancos e barrancos, a família foi se construindo. Quando Ana tinha já de três para quatro anos de idade, Marcos e Glória oficializaram legalmente sua união matrimonial e realizaram uma cerimônia comemorativa com parentes e amigos próximos. Ana foi a daminha de honra a entregar as alianças de casamento aos próprios pais. O ano que se seguiu foi de profundas transformações pessoais para Marcos, que já era um aspirante a assuntos referentes a psicologia, emoções, autoconhecimento e espiritualidade. A simbologia e ritualística da aliança no próprio dedo e da cerimônia do casamento parecem ter turbinado a busca interior por evolução e aprimoramento pessoal em Marcos. Em meio a diversos cursos, palestras, livros, *workshops* e treinamentos dos quais ele vinha tentando participar, surgiu um convite por parte de um dos padrinhos de casamento para que Marcos participasse de uma vivência terapêutica em um local como um retiro, no interior de São Paulo.

Em uma das idas a esse local, após várias palestras, meditações, músicas e massagens, Marcos também participou de uma cerimônia ritualística xamânica com chá de ayahuasca. Depois da ingestão do chá, ele vomitou. Ao observar a imagem do que ele havia expelido, Marcos teve a nítida sensação de ter visto ali delineada a forma de um feto. No mesmo instante, aquele antigo rochedo que ele pensava estar completamente submerso e esquecido veio à tona com força e intensidade. A garota, a gravidez interrompida, antigos fantasmas e monstros aparecendo... Marcos então também teve a nítida impressão de conseguir escutar e dialogar com aquele "feto":

— Desculpe-me pelo que fiz — pediu Marcos.

— Está perdoado, mas eu continuo esperando — Marcos ouviu como resposta.

— Quando você quer vir?

— Eu só dependo da sua permissão.

— Qual seu nome?

— Será um nome de anjo.

Glória já há tempos manifestava seu interesse em ter outro filho. Afinal, com a primeira filha, ela não teve grande apoio do pai. Ela também se sentiu algo incomodada pelo parto ter sido cesárea e não natural, e ressentia-se ainda de não ter conseguido amamentar Ana no seio de forma adequada. A idade de Glória avançava, e o risco gestacional aumentava para uma possível nova gravidez. Para Marcos, porém, até aquele momento era inconcebível a ideia de ter outro filho, tendo em vista todos os percalços anteriores. Após a experiência no retiro, entretanto, tudo mudou. Marcos confessou para Glória todos os seus antigos esqueletos guardados nos armários mais escondidos e escuros de sua mente e pediu que ela interrompesse o uso da medicação anticoncepcional. Dois meses depois, ela estava grávida de Miguel, que nasceu por parto natural em uma banheira, onde foi recebido pelas mãos do próprio pai e foi amamentado ao seio devidamente durante seus primeiros meses de vida.

Marcos virou um marido e um pai perfeitos? Provavelmente não. Todavia, há pouco tempo, perguntei para ele quem é mais feliz: o antigo boêmio descompromissado e solto ou o atual pai e marido em plena reconstrução de si mesmo. Ele não hesitou em afirmar categoricamente que se encontra no auge de sua felicidade. Cada vez que Marcos reconta sua narrativa pessoal de vida, ela ganha novos contornos, nova elaboração, e todos os símbolos, marcos e ícones importantes dessa fantástica história de superação e redenção produzem a incrível propriedade de reordenar os próprios circuitos neurais dentro do cérebro dele. O cérebro do Marcos festeiro e volúvel não existe mais. Sinapses, conexões neurais, neurotransmissores e circuitos nervosos foram todos remodelados para dar lugar a uma nova versão de um Marcos melhor, como pai e marido, mais pleno e feliz.

Segue um texto pessoal produzido por Marcos e a mim confiado:

O pequeno ser

Havia um pequeno ser que levava uma vida boa, feliz e tranquila. Sempre, como em qualquer família, havia os altos e baixos. E em toda família existem diversos tipos de pais e de mães. Pais mais rígidos, outros um pouco mais flexíveis, porém todos os pais têm sempre boas intenções por trás de seus atos. Afinal, se não fosse por eles, não estaríamos aqui hoje. Da mesma forma as mães... umas mais amorosas, outras nem tanto.

Mas por que será que muda tanto assim? Será que é porque a gente só dá aquilo que recebeu um dia? Será que nossos pais têm culpa de algo que na verdade nem mesmo eles sabem o porquê? Existem vários questionamentos que envolvem a nós, seres humanos. Mas uma coisa é fato: somos reflexo de nossos pais. De alguma forma isso ocorre. Agora vamos a um caso em particular.

Havia um pai muito rígido, sério, muito pouco amoroso... Decerto, a vida foi rígida e dura com ele... E, assim, ele foi se transformando numa pessoa semelhante à vida que levou. Sendo assim, se comportava dessa maneira com os mais próximos, filhos, esposa...

Voltemos então ao pequeno ser... Em um dado momento de sua vida, ele sofreu uma grande repressão desse pai rígido. Ele estava brincando de médico com uma amiguinha e seu pai, achando que ele estava fazendo algo de errado, como abusando daquela menina ou fazendo brincadeiras que o pai julgava inadequadas para aquela idade, deu-lhe uma bela de uma surra. Aquele pequeno ser, sem entender muito por que aquilo aconteceu, absorveu aquela situação da maneira como uma criança poderia absorver, e se fechou, congelou aquilo dentro dele. E a vida seguiu...

Em outro determinado momento da vida, aquele mesmo pai, incompreensível, rígido e de pouco diálogo, supôs que esse mesmo pequeno ser pudesse estar se tornando um homossexual, e por isso resolveu dar outra bela de uma surra. Aquele pequeno ser, sem também muito entender, se fechou e congelou essa situação dentro de si e nunca mais esqueceu.

Olhando de fora o pequeno ser, podemos notar que o medo dentro dele foi surgindo, talvez medo do pai, medo de fazer algo errado, medo de se relacionar com uma mulher – afinal, ele estava brincando com a menina e foi repreendido – medo de ser homossexual... enfim...

Vejamos esse pequeno ser, não pode com menino, não pode com menina.

E agora?

O pequeno ser vai crescendo com toda aquela confusão na cabeça, aquela insegurança de não saber o que fazer, não saber o que é o certo ou o que é errado, o medo, a indecisão... e a vida vai indo, indo, e todos aqueles sentimentos vão se congelando, e aquele pequeno ser vai crescendo, e tudo aquilo que aconteceu com ele na infância torna-se reflexo de quem ele está se tornando e se tornou na fase adulta.

Junto a tudo isso, aquele pequeno ser também tinha uma mãe. É... mas aquela mãe não muito amorosa, um pouco durona, não muito carinhosa também. O pequeno ser também não recebeu aquele amor e carinho de que tanto precisava e queria. Mas a mãe demostrava o amor ao pequeno ser da maneira que para ela bastava. Afinal, nós damos aquilo que recebemos um dia.

A vida continuou e o pequeno ser cresceu, teve seus relacionamentos da maneira que conseguiu, até que um dia ele se casou. Como será que foram esses relacionamentos e o casamento do pequeno ser?

Com tantos sentimentos reprimidos, medo, insegurança... e tudo mais...

O pequeno ser foi superando as adversidades, superando a si mesmo, e conseguiu se relacionar da maneira que ele pôde aprender com a vida, e finalmente conseguiu ser esposo e depois pai.

Talvez agora ele pudesse então se tornar aquele pai que ele gostaria de ter tido, ou talvez um pai melhor. Porém há uma grande dificuldade em dar algo que nunca recebeu... só que nós esquecemos que basta querer algo com bastante vontade, para que isso se torne possível. Então o pequeno ser, hoje pai, busca ser um pai melhor, um ser humano melhor.

Mas veja, ele nunca teve uma mãe, de fato mãe, aquela mãe presente, que cuida, que dá colo, que conversa, enfim... mãe mãe!!! Só que Deus acolhe e tem misericórdia, em vez da mãe, ele recebe uma esposa maravilhosa, carinhosa, prestativa, calma, que conversa e o ouve. Exatamente! Ela o ouve!!!

Ninguém ouvia o pequeno ser. O pequeno ser não teve oportunidade de se expressar e ser ouvido por seus pais. O pequeno ser então descobre naquela mulher a mãe que nunca teve, desenvolve um amor incondicional, um amor de filho com mãe que se confundia com amor de homem e mulher... e a vida vai seguindo, e o pequeno ser vai evoluindo e aprendendo o que é o amor... pois o amor é uma coisa só, independentemente de sexo ou tipo de relação. O amor é incondicional!!!! Talvez o pequeno ser não saiba que tudo aquilo que sente dentro dele é amor, talvez nunca conseguiu se abrir, se expressar... Pois o amor é forte, gera medo e insegurança também, mas o amor estava sempre lá dentro dele.

E através de seus filhos o pequeno ser, hoje um pai de família, vai aprendendo a ser pai, o amor e tudo mais que a vida lhe oferece. Mas ainda não basta, ele tem mais oportunidades através dos filhos de seus filhos, pois se não pôde aprender tudo sendo pai, ainda tem a oportunidade como avô. Vejam só como Deus é generoso.

Agora vamos ao segundo pequeno ser dessa história, o pequenino ser, o filho do pequeno ser. Imaginem como foi ser filho do pequeno ser, uma pessoa que passou por inúmeras dificuldades, mas que chegou até aqui e tem seus méritos. O pequenino ser também passou por dificuldades na infância, seu pai era rígido, não tanto quanto o pai do pequeno ser... Mas ele também não tinha muita paciência e não conversava muito com o pequenino ser. Afinal, a gente só dá aquilo que recebeu um dia... E somos reflexo de nossos pais...

O pequenino ser foi crescendo também, mas tinha muita dificuldade com as meninas, afinal o pai dele nunca conversou sobre relacionamento com mulheres, como se comportar e tudo mais. Mas o que esperar de um pai que sofreu repressão nesse quesito?

O pequenino ser teve de aprender sozinho... mas, veja que bom, ele não sofreu a repressão que seu pai recebera, e isso já foi uma grande evolução. Inúmeras outras situações daquela relação entre pai e filho magoaram o pequenino ser... A vida segue, fica tudo armazenado, mas está tudo certo...

O pequenino ser vai crescendo... Vai aprendendo, estudando muito o autoconhecimento... e aos poucos vai conectando todas aquelas vivências que o magoaram... Porém hoje ele tem mais recursos e aprendeu, compreendeu aquele pai, que na verdade era, em muitos aspectos, aquela criança congelada em sentimentos de medo e insegurança, e, sendo assim, ele perdoou seu pai por todo e qualquer sentimento de mágoa gerada pela relação de ambos. E qual é a melhor forma de acreditar ou comprovar que esse filho realmente perdoou seu pai?

Olhe para esse filho e veja como ele é com os filhos dele... os netos...
Nunca é tarde para mudar.
Nunca é tarde para ser um pai melhor.
Nunca é tarde para ser um ser humano melhor.
Nunca é tarde para superarmos o nosso passado.

Nunca é tarde para perdoar o próximo.
Nunca é tarde para se perdoar.
Nunca é tarde para viver uma vida plena e feliz.
NUNCA É TARDE PARA DIZER EU TE AMO!!!
BASTA A GENTE QUERER, QUE O IMPOSSÍVEL ACONTECE...

É surpreendente pensar que eu jamais teria conhecido e me tornado amigo do Marcos se eu mesmo não tivesse passado por minhas próprias experiências pessoais de transformação. Se tivesse me apegado ao meu cérebro antigo que não tinha a amizade como prioridade, jamais teria a oportunidade de compartilhar de uma amizade tão gratificante quanto a que eu tenho com ele hoje. Somente um novo cérebro repaginado com novas redes neurais associadas a valores completamente distintos daqueles que eu primava antes pôde me proporcionar estar hoje aqui, tendo a honra de poder escrever a respeito de uma história tão espetacular e inspiradora quanto essa que me foi confiada a tornar pública (os nomes são fictícios).

Amizade × *Networking*

Acho que todo mundo entende a importância da amizade, certo? Mas eu não tinha essa convicção toda até pouco tempo atrás, não. Hoje tenho a impressão de que antes eu via amizades talvez mais como negócios, talvez mais como um meio do que como um fim em si mesmo. Talvez antes estivesse mais interessado em ter relações pessoais com quem potencialmente pudesse me trazer algum retorno de alguma forma, quer fosse por interesses financeiros comuns, quer fosse pela necessidade de ter pessoas que pudessem enaltecer minhas qualidades, quer fosse por qualquer outro interesse de obter alguma vantagem pessoal em troca. Atualmente creio, porém, que o nome mais apropriado para isso não é amizade, mas sim *networking*.

No presente momento, estou tentando reconstruir e formar velhas/novas amizades a partir de uma perspectiva recente de entendimento dos reais valores e significados de Amizade, com A maiúsculo. Eu procuro fazer isso sobre novas bases. Amizade pela amizade e PONTO. Ser amigo pela simples satisfação de sê-lo, sem planilhar quais serão os potenciais benefícios disso, sem me preocupar tanto com os riscos envolvidos em agir assim. Talvez meio que me entregar genuinamente na medida das minhas possibilidades, sem expectativas de quais serão os retornos.

E, até agora, não me arrependo. Ah, como é bom descobrir o óbvio! Que amizade é mais valiosa que dinheiro, que ser amigo é muito mais importante do que ser competente, que amizade é mais importante que pontualidade, que ser amigo é muito mais importante do que ser produtivo. Particularmente, demorei quarenta anos para entender isso. Não vou ficar aqui me lamentando nem me culpando por ter sido um completo ignorante nesse aspecto. Só me cabe agora pedir perdão às amizades que deixaram de ser mais bem nutridas e esperar que isso continue a me abrir portas de um caminho mais feliz (com novos e velhos amigos).

DA NATUREZA MUTANTE DO CÉREBRO

Mudar é a maneira mais saudável de sobreviver.
Karl Lagerfeld

Tratamos anteriormente dos dois primeiros pilares neurocientíficos cruciais que nos ajudam a compreender melhor como funciona a massa pasto-gelatinosa que ocupa a maior porção do espaço situado entre as nossas orelhas. Com o cérebro exposto e ampliado várias vezes pela magnificação óptica proporcionada pelo uso de microscópios cirúrgicos potentes, infelizmente não se pode perceber, durante uma operação, as inúmeras faculdades complexas que a coordenação conjunta de bilhões de neurônios, disparando eletroquimicamente, produz em suas sinfonias, conversas e conexões infindáveis. Em cirurgias cerebrais, é como se conseguíssemos adentrar um suntuoso teatro preparado de forma magnífica com toda a iluminação posta e vislumbrássemos todos os músicos, a orquestra e os instrumentos posicionados (a massa encefálica), mas não pudéssemos escutar nenhum som ou melodia (os pensamentos). O terceiro pilar neurocientífico compreende a enorme capacidade que o nosso sistema nervoso tem de mudar e adaptar-se. O nome técnico dessa propriedade é "neuroplasticidade".

Durante a maior parte do século passado, o paradigma científico vigente apontava para um cérebro com áreas fixas e ultraespecializadas em subfunções específicas, como se cada parte do cérebro fosse exclusivamente responsável por realizar um único serviço. A ideia mais aceita era (e talvez ainda seja) a de que a função "mexer o dedinho do pé esquerdo" possui uma localização única e específica no cérebro e que tal área seria dedicada apenas e tão somente a isso. Se, por alguma desgraça, ocorrer uma lesão nesse local do cérebro – bau-bau –, a função específica associada a essa área cerebral estaria irremediavelmente perdida. Apesar de existir uma nítida distribuição de funções diversas ao longo de partes variadas do cérebro e inclusive ser possível estabelecer mapas de localização de várias funções mentais em áreas específicas comuns à maioria das pessoas, o que um novo paradigma neurocientífico mais contemporâneo e vanguardista emergente aponta é que, na verdade, existe, sim, uma "predileção", mas não uma "escravidão" de determinadas funções neurais em dadas áreas encefálicas específicas.

Pipocam na atualidade mais e mais evidências e trabalhos científicos apontando para a natureza altamente flexível e adaptável do cérebro humano. Existem situações extremas em que algumas crianças desenvolvem convulsões e ataques epilépticos tão intensos e frequentes que se torna necessário um tratamento cirúrgico radical de nome "hemisferectomia", que é a remoção cirúrgica de uma metade quase inteira do cérebro. Isto mesmo que você leu: extirpa-se cirurgicamente metade do cérebro da criança para o tratamento de uma doença epiléptica gravíssima. A criança sai da operação com uma inevitável paralisia completa de uma metade do corpo. O que acontece depois? A criança tende a ir pouco a pouco se recuperando da paralisia. Mas como isso é possível se a parte do cérebro que controlava aquela metade (agora paralisada) do corpo foi ressecada? A outra metade do cérebro passa então, progressivamente, a assumir a função que antes era exercida pelo hemisfério cerebral agora inexistente. É claro que você pode me questionar dizendo que, neste caso, trata-se de uma criança, que naturalmente deve ter um cérebro muito mais "neuroflexível" do que o de um adulto, cujo cérebro em teoria é mais estável por já estar formado. Eu lhe digo que você está apenas parcialmente correto. Sim, obviamente as crianças naturalmente têm cérebros muito mais flexíveis e passíveis de recuperações maiores do que o de adultos. Era comum acreditar no século passado que, uma vez vencida a adolescência, o cérebro estaria rigidamente formado e ponto e, a partir daí, apenas um inevitável declínio cognitivo rumo à velhice seria o destino certo e inevitável a todos nós.

No entanto, essa parece não ser a história completa segundo a emergência desse novo paradigma neurocientífico atual. A propriedade de "neuroplasticidade" parece estar presente no cérebro durante toda a nossa vida. Em outras palavras, a imensa maioria de todas as conexões sinápticas dos neurônios cerebrais pode ser refeita por completo até o último dia de nossas vidas. Em outros termos, a comunicação (a "conversa") interna entre as células nervosas que formam todos os nossos pensamentos pode ser amplamente transformada para criar outros circuitos e caminhos de informações e pensamentos dentro de nosso crânio. Tome como exemplo um idoso vítima de derrame cerebral, o chamado acidente vascular encefálico (AVC). Um entupimento ou ruptura de vasos sanguíneos do cérebro leva à morte uma população de neurônios de determinada região do cérebro. O nível mais crítico de deficiências neurológicas ocorre nas primeiras horas ou dias da doença. Uma vez suplantado esse estágio inicial e salvo outras condições cerebrais desfavoráveis, a tendência mais natural é a de recuperação (ao menos parcial) da função comprometida pela morte daquele pedaço do cérebro. Nessa situação, a reposição da função perdida também ocorre, primordialmente, porque áreas cerebrais saudáveis vizinhas passam a assumir (parcial ou completamente) a função suprimida pela perda de neurônios ocorrida pelo advento do derrame.

Essa capacidade salutar do cérebro de se transformar e se reconstruir não ocorre apenas em casos trágicos de doenças graves como as que mencionei. Essa capacidade de criar novas conexões neurais e construir novos caminhos sinápticos é parte crucial, por exemplo, de uma de suas funções mais importantes: a nossa memória. Como demonstrado pelo grande doutor Eric Kandel, laureado pelo prêmio Nobel, não nos seria possível construir uma única memória nova sequer sem que novos filamentos de axônios (as perninhas compridinhas dos neurônios) fossem produzidos a partir do disparo simultâneo de uma rede neuronal. Em outras palavras, cada nova memória sedimentada implica a construção de um novo caminho de neurônios se comunicando, e cada memória suprimida ou revista implica uma remodelação e reconexão de circuitos dentro do cérebro.

Nosso cérebro é altamente "neuroflexível" (muito mais do que podíamos imaginar até algumas décadas atrás). O que isso significa? Que podemos mudar profundamente nossos padrões de hábitos, comportamentos repetitivos e escolhas automáticas de respostas. Em outros termos, talvez esteja ao alcance de qualquer um deixar para trás uma forma de ser que necessite de determinado sofrimento para sobreviver e possa recriar-se em uma versão mais feliz de si mesmo. Assim como situações físicas extremas, como uma cirurgia radical ou um AVC, podem ser o gatilho que dispara a necessidade para o acionamento de mecanismos neuroplásticos cerebrais, assim como vivências importantes revestidas com o devido peso emocional podem ser a fagulha que dispara o mecanismo neuroflexível de criação/reconstrução de uma memória, a introspeção de pensamentos paradoxais talvez possa ser um dos indutores ao desapego de uma vida cronicamente ligada a determinados problemas e sofrimentos. Em um nível mental, o "flerte" com ideias "paradoxais" e "antagônicas" ao paradigma íntimo e conhecido do "eu sempre fui assim" pode ser a brecha necessária para "quebrar" e "romper" sinapses e circuitos neurais antigos e profundos, produtores da "autoidentificação" com um único tipo de viver que não abre mão de determinados sofrimentos e problemas para sobreviver.

Joãozinho

Talvez sua mãe já tenha lhe dito quando criança: "Se o Joãozinho resolver pular da ponte, você vai pular também? Se a Mariazinha começar a comer cocô, você vai comer também?".

Sabedoria materna. Sabedoria de mãe.

Agora pare um instante. Olhe à sua volta. Analise a sociedade em que vivemos. Será que vivemos em um mundo digno, justo, bondoso, solidário e de pessoas transbordando felicidade? Talvez estejamos ainda um pouco distantes dessa utopia ideal, segundo nos alerta recorrentemente o noticiário.

Então eu me pergunto: *se há um monte de Joãozinhos pulando de pontes e Mariazinhas comendo cocô à nossa volta, se o mundo caminha por um rumo esquisito, será que não seria melhor seguir pela contramão do mundo*?!

Vida digital × Vida analógica

Eu comparo hoje a minha vida mais ou menos a um computador, tablet ou celular. Ela veio de fábrica com vários programas e aplicativos já instalados NÃO ESCOLHIDOS POR MIM MESMO!

Pois bem, posso passar minha vida toda usando esses modelos pré-programados, vivendo uma vida já pré-escolhida pela fábrica, talvez num caminho "confortavelmente **infeliz**". OU talvez eu possa ir deletando os programas que não me interessam. Posso tentar ir apagando os aplicativos que não quero para mim e procurar fazer *download* de outros que eu escolha conscientemente. Talvez aí eu possa seguir um caminho "desconfortavelmente mais **feliz**".

O medo de mudar

Ah, o famigerado medo de mudar... O pânico paralisante do incerto... A inércia conhecida e familiar costuma ser confortável e previsível. Somos iludidos pela familiaridade do sofrimento passado. Ele fica como uma sereia sedutora soprando ao nosso ouvido: "Não muuude. Não muuude. Veja, você já aguentou até aqui... Siga pela estrada conhecida... Vai arriscar para quê? Esse seu sofrimento já é conhecido... E lembre-se que não tem apenas partes ruins... Quantas coisas boas também existem nessa trilha de sempre, não é?".

Quantos sofismas, minha cara sereia sedutora! Uma forma aparentemente tão correta de pensar, mas quantos erros e furos essa mentalidade não embute?!

OK. Mãos à obra. Com licença, minha cara sereia, mas vou me permitir desconstruir sua mentalidade pueril e falha. Em primeiro lugar, o sofrimento futuro não será o mesmo que o sofrimento passado. Costumamos, inconscientemente, observar o sofrimento antigo (que já aguentamos) e projetamos o cálculo futuro baseado no que já foi. Só que nos esquecemos de um pequeno (grande) detalhe na conta: O SOFRIMENTO TENDE A

AUMENTAR E PIORAR SE NÃO MUDARMOS! Ou seja, a tendência é que não seja o mesmo sofrimento conhecido, mas sim uma espiral ruinosa descendente de sofrimento cada vez pior. Isso a nossa sereia sedutora costuma "esquecer" de soprar nos nossos ouvidos. Sereia *marvadinha*!

Em segundo lugar, o futuro não é certo nem garantido, independentemente do caminho que escolhemos. Aliás, eu diria que temos, de um lado, a quase certeza de sofrimento progressivo no caminho automático inercial e, de outro lado – aí sim –, o "risco" de dar certo e de melhorarmos quando optamos pelo caminho da mudança. Tá mal de matemática probabilística, hein, dona sereia?

Por último, quem disse que a mudança gera a perda do que existe de bom?! Estamos tão inconscientemente acostumados a pensar em prazer associado à dor, como faces de uma mesma moeda, que intuímos que a perda do negativo implicaria também a perda do positivo. Estamos tão inconscientemente habituados a pensar em alegria associada à culpa, como faces de uma mesma moeda, que acreditamos que a perda do sofrimento levaria também à perda da felicidade. Essa mentalidade dualista tende a aprisionar nossas possibilidades de escolhas mais abrangentes e a nos encurralar cada vez mais longe do nosso próprio livre-arbítrio. Porém, conforme inúmeras antigas correntes de sabedoria nos ensinam, pode existir, sim, vida além desse claustro dualista. E, pelo que dizem, trata-se de uma possibilidade muita mais plena, próspera e feliz, de fato. Mas ela costuma estar muito longe do canto hipnótico da sereia.

Mas o que os outros vão pensar?

"E o que os outros vão pensar de mim? Como as pessoas vão reagir se eu começar a fazer isso ou deixar de fazer aquilo?"

Quem nunca teve esse tipo de preocupação que atire a primeira pedra (longe de mim, de preferência). Mas vamos então inverter um pouco a lógica do raciocínio aqui: *quanto do que você pensa para a vida dos outros realmente é acatado?* Não sei quanto a você, mas comigo diria ser quase irrisório. Temos posto aqui, então, um paradoxo do convívio social interpessoal: se ninguém por aí está dando a mínima para o que você e eu achamos da vida deles, por que diabos continuaremos dando tanta importância ao que os outros possam julgar em relação à nossa própria vida? A necessidade pelo reconhecimento alheio pode ser um vício perigoso demais para ser mantido por longo prazo. Eu diria tratar-se de uma das drogas mais neurotóxicas que conheço.

Veja, se não se trata de algo ilegal, imoral ou antiético, por que continuar preso à opinião externa para determinar os rumos da sua própria vida? Note que quem o ama verdadeiramente vai estar com você em quaisquer circunstâncias. Quem o "ama" apenas sob determinadas condições e aspectos... Bem, veja, talvez a opinião de alguém assim não seja lá tão relevante no final das contas, né?

Neurofinanças

O cérebro humano é fruto de milhões de anos de evolução: desde seres mais primitivos, passando pelos mamíferos rudimentares, pelos primatas, até chegarmos à espécie *Homo sapiens* atual. Para sobreviver e evoluir em um ambiente hostil, o cérebro humano foi sendo dotado de uma capacidade inata de evitar a dor a qualquer custo e de buscar prazer de forma quase desenfreada. A aversão à dor nos garantiu a sobrevivência física até os dias atuais, e a avidez pelo prazer nos garantiu a alimentação, a reprodução da espécie e a conquista de territórios.

Por mais útil que seja, sob o ponto de vista biológico, esse padrão mental possui um custo. Evitar a dor tende a nos forçar, como que por reflexo, a lidar com o sofrimento não "à vista", mas sim a "parcelá-lo" em "suaves prestações" a perder de vista cronicamente. Tendemos a utilizar **qualquer** subterfúgio disponível ao nosso alcance para minimizar e prolongar um sofrimento, em vez de encará-lo de forma aguda e intensa. Na outra ponta, a fascinação pelo prazer, automaticamente, nos estimula a lidar com a alegria de forma inversa à dor: tendemos a preferir o máximo de prazer "à vista" e com intensidade, evitando ao máximo o adiamento, a suavização ou o prolongamento da alegria e do prazer. Estamos, então, diante do seguinte quadro "financeiro" das emoções e padrões mentais: consumimos o máximo de prazer e alegria intensamente de forma à vista e parcelamos em longas e infindáveis prestações o nosso sofrimento.

Diante do exposto, talvez fique um pouco mais fácil responder à seguinte pergunta: "POR QUE RAIOS É TÃO DIFÍCIL FAZERMOS UMA MUDANÇA SIGNIFICATIVA EM NOSSA VIDA?!". A mudança em padrões comportamentais profundos implica ir COMPLETAMENTE CONTRA essa equação "neurofinanceira" arraigada em nosso cérebro desde tempos ancestrais imemoriais. Para mudar de fato, tenho que sofrer *intensamente à vista*. Sim, sofrer de uma vez no atacado e não ficar repicando o sofrimento no varejo é o que nos possibilita grandes saltos evolutivos de desenvolvimento pessoal. Sim, eu sei que é muito sofrido e muito doído, mas há um aspecto positivo em agir desta forma contraintuitiva: **não precisamos ficar pagando a fatura do "cartão do sofrimento" indefinidamente**. A maioria de nós espera até que o "limite do cartão" do sofrimento estoure para só então quitar a fatura. Contudo, isso não precisa se tornar natural. Pode-se, com a experiência adquirida a partir de saltos evolutivos anteriores, dar maior atenção a incômodos menores para que se providencie a liquidação da fatura de forma mais rápida e de imediato, sem o acúmulo de uma "dívida impagável".

Em relação ao prazer, agimos frequentemente no padrão oposto: "o máximo que eu puder obter agora mesmo!". Esta maneira instintiva e arraigada de proceder talvez esteja por trás da famigerada questão: "POR QUE É TÃO DIFÍCIL SER FELIZ PERMANENTEMENTE E ALCANÇAR PAZ E TRANQUILIDADE INTERIORES?". Ao nos tornarmos escravos da lógica do máximo de alegria instantânea, tendemos a deixar de poupar (a alegria) para um estado de felicidade perene e inabalável de longo prazo. Não é raro irmos "torrando" todas as alegrias "à vista", em detrimento da possibilidade de investir na "poupança" de uma real felicidade constante e duradoura.

E quanto a você? Como andam as suas "neurofinanças"? O que vai ser para hoje: o prazer instantâneo com os juros de alegrias eufóricas pontuais e fugazes ou vamos de alegria suave, serena e permanente com o patrimônio de felicidade duradoura? Vai de dor parceladinha com garantia de sofrimento constante ou vamos de sofrimento à vista com risco de salto evolutivo pessoal?

Ignorando as atualizações de sistema

Fosse o nosso cérebro o *hardware* de um computador, poderíamos comparar nossos moldes mentais ao seu *software*. Durante a nossa infância, alguns modelos mentais vão inconscientemente surgindo de acordo com a nossa percepção e interação com o ambiente à nossa volta. Tais modelos mentais vão contribuir para a modulação estrutural, bioquímica, elétrica e sináptica da formatação estrutural do nosso cérebro. Como bem se sabe hoje em dia, o cérebro não é uma estrutura rígida, fixa e imutável. Cada vez mais fica comprovado, por várias frentes de conhecimento científico, que o cérebro apresenta alto grau de flexibilidade química, funcional, sináptica e estrutural até o nosso último dia de vida.

Temos que um determinado *software* (molde mental) instala-se no nosso cérebro (*hardware*) durante a nossa infância, uma instalação totalmente despercebida por nós, diga-se de passagem (inconsciente). Importante frisar que tal programa mental em geral nos é bastante útil para enfrentarmos as situações cotidianas da forma mais saudável possível sob o ponto de vista mental durante uma determinada época de nossa vida, nomeadamente a infância. Mas, assim como em qualquer computador nenhum *software* vai ser adequado para toda a vida útil do *hardware*, também para o cérebro nenhum modelo mental será útil se mantido fixo e inalterado por toda a vida.

Quem nunca recebeu aquela irritante mensagem de "NOVA ATUALIZAÇÃO DE SISTEMA DISPONÍVEL" no computador? O que você faz normalmente? Clica em cancelar ou em instalar? Pois saiba que, assim como os computadores nos enviam essas mensagens, também a vida nos bombardeia a todo momento com recados similares. Eles começam em geral sutis e discretos e estão espalhados pelos mais diversos flancos: vida pessoal, familiar, profissional, corpo físico etc. Contudo, muitas vezes optamos por ir clicando em "cancelar" repetidas vezes, ignorando todas as oportunidades de "atualização do sistema" (mental) que a vida vai nos apresentando. Ignoramos uma magoazinha com o cônjuge aqui. Ignoramos uma briguinha com o chefe ali. Ignoramos uma irritaçãozinha conosco acolá. Ignoramos um sono perturbado por aí... Porém, assim como o *software* desatualizado vai "dando pau" quanto mais ele ficar atrasado, também a nossa vida vai "dando pau" quando evitamos atualizar nossos moldes mentais. Há os "desavisados" que "DE REPENTE" descobrem-se no fundo do poço, que "SUBITAMENTE" são pegos de surpresa porque "pifaram de vez" e "DO NADA" encontram-se metidos numa grande enrascada médica, pessoal ou familiar. Será que o "de repente", o "subitamente", o "do nada" são isso mesmo? Ou será que ignoramos 483 mensagens anteriores de atualização de sistema e clicamos automática e repetidamente em "cancelar" para todas elas?

Por que "resetar" a mente?

"*Reset*" aqui é utilizado no sentido de recomeçar, reformular, mudar na essência. Como fazer isso talvez seja menos relevante. Religião? Terapia? Ioga? Meditação? Ano sabático? *Mindfulness*? Coaching? Escalar o Himalaia? Caminho de Santiago? ...?

É possível que o caminho "apareça" na nossa frente naturalmente após um ponto crucial de inflexão de nossa vida, um ponto mínimo e singular, mas de potencial intangível, brilhar em nossa mente: ele no geral surge depois de um **"Será que eu não deveria *resetar* a minha mente?"**. Essa *autopergunta* pode ser um divisor de águas na vida de qualquer um. Mas essa é uma pergunta que vale muito mais que um milhão. E ela talvez só possa ser intimamente levada a sério após uma compreensão tão importante quanto nos acometer: *a vida que levo produz o que sinto; a minha vida tal e qual está agora é produto do que penso; o meu incômodo, sofrimento ou desconforto são gerados diretamente por mim mesmo (pela forma como penso ou deixo de pensar a minha própria vida); eu sou o resultado da minha própria mente.*

Ao puxar TODO incômodo que sinto para dentro de mim mesmo (sem terceirizações para cônjuges, pais, vizinhos, patrões, políticos, trânsitos, doenças, crise econômica, filhos, trabalho etc.), a pergunta pode começar a querer já se transformar em: **"Por que eu AINDA não resetei a minha mente?"**.

Ah, como é bom DESAPRENDER!

Com os meus amigos, eu DESAPRENDI a invejar.
Com o meu pai, eu DESAPRENDI a odiar.
Com a minha mãe, eu DESAPRENDI a gula.
Com a minha profissão, eu DESAPRENDI a julgar.
Com a minha esposa, eu DESAPRENDI a extremar.
Com os meus filhos, eu DESAPRENDI a ter tanta pressa.
Com a natureza, eu DESAPRENDI a complicar.
E com a vida, eu DESAPRENDI a ter tanta certeza de tudo.

Errar é preciso

Um dia, atendi um paciente com doença de Parkinson. A certa altura da consulta, ele me perguntou: "De onde vem esse problema?". Daí comecei a responder tecnicamente sobre degeneração cerebral, a queda dos níveis de dopamina e os gânglios cerebrais basais etc. Mas, então, parei um instante e pensei comigo mesmo: "Acho que talvez não seja exatamente isso que ele de fato queira saber, e a explicação fisiopatológica orgânica também pode não fazer muita diferença para ele". Daí eu prossegui:

"Essa é a explicação médica, técnica e científica. Mas eu vou te dizer qual é a minha opinião pessoal, já que a medicina explica tudo isso, mas não explica o **porquê** disso de uma forma completamente satisfatória." Então eu continuei: "Na minha modesta opinião pessoal, para além do cientificamente comprovado, observo que o Parkinson tende a aparecer mais em pessoas que buscam em excesso por estabilidade, procuram demais por segurança. Tendem a ser pessoas que planejam muito a própria vida para seguir sempre uma linha fixa e invariável. Não aceitam que nada saia daquela pequena caixa restrita que desejaram para si mesmas. Costumam incomodar-se muito quando algo sai da rotina planejada e, não raro, são pessoas pouco afeitas a mudanças ou novidades. Pacientes com Parkinson quase nunca atrasam. Comecei a perceber recentemente como são pontuais meus pacientes com doença de Parkinson. Diria até que mais que pontuais: costumam sempre chegar com bastante antecedência em relação ao horário agendado para a consulta. E esse rigor com o cumprimento do horário parece ser mais uma característica em linha com esse perfil de modalidade mental. A rigidez no controle do tempo e no planejamento dos horários talvez seja um dos reflexos dessa forma de pensar algo frequente nesses pacientes. Não é incomum que esses mesmos pacientes e seus respectivos familiares confirmem certa forma de pensar que observo com relativa frequência. Trata-se de um modelo mental que parece privilegiar o controle dos fatos, das pessoas, das rotinas e do futuro. Parece haver entre esses pacientes uma grande necessidade de segurança pelo conhecido, de controle através de normas, padrões e planejamentos. São pessoas que costumam rejeitar o incerto, o desconhecido, o novo. Não costumam aceitar mudanças grandes com muita facilidade. Possuem certo grau de inflexibilidade ao aleatório".

Nesse momento, percebi que ele estava visivelmente emocionado, com os olhos já marejados, e que sua esposa meneava vigorosamente a cabeça.

Fico tentado a cogitar uma correlação mente-cérebro-corpo envolvendo esses aspectos. Será que a "rigidez" do pensamento não tornaria o cérebro (química e estruturalmente) mais propenso ao "congelamento" (sintoma crucial no Parkinson) do corpo? Tendo a imaginar que o modelo mental descrito acima preceda temporalmente as alterações físico-químicas cerebrais e os sintomas físicos manifestados no corpo desses pacientes. Mas trata-se de uma sensação pessoal minha. Não se trata de constatação científica tecnicamente embasada, devo alertar.

Se alguém deseja (de forma inconsciente?) para si uma vida rígida, fixa e imóvel, talvez seja exatamente isso que o cérebro pode lhe dar. E o corpo pode passar também a refletir isso com rigidez, imobilidade e tremores (tríade típica da famosa doença de Parkinson). Somos todos fruto e parte integrante de um universo caótico, instável, errático e em constante transformação e evolução. Desejar para si mesmo uma vida estável, invariável e imutável é desejar o artificial, algo não natural em absoluto. Quando você pede a seu cérebro por aposentadoria, por estabilidade emocional, por segurança financeira e, na prática, atinge isso, perceba que o próximo passo de todo platô, de todo apogeu é a inevitável derrocada. Será que o cérebro não poderia também entregar o protótipo físico de uma mente que não aceita mudanças: a doença de Parkinson?

Em um dado momento, tive a nítida sensação de que o filme da vida toda do paciente tinha acabado de passar na mente dele. A esposa então comentou que a descrição era a mais exata que alguém já tinha feito para o seu marido.

Daí eu continuei:

"Além dos medicamentos e tratamentos todos, permita-me fazer uma sugestão, não como médico, mas sim como ser humano: abrace o caos, permita-se ser surpreendido pela beleza do inesperado. Tome caminhos não convencionais. Mude. Transforme-se para evoluir. Permita-se errar! Permita-se errar!".

Tenho certeza de que essa consulta marcou profundamente tanto a eles quanto a mim. Eu, é óbvio, não estou sugerindo aqui que esse jeito de pensar a própria vida gere necessariamente o Mal de Parkinson, afinal cada organismo apresenta predisposições genéticas e ambientais próprias e únicas. O que eu pessoalmente intuo é que esse jeito de encarar as coisas pode não ser saudável, em especial pelo fato de que esse estilo de vida e modo de pensar atentam frontalmente contra uma característica inata fundamental do cérebro: a **neuroplasticidade**, a base mutante da mente, a natureza adaptativa e metamórfica do nosso cérebro.

OPERAR ALMAS

*Escolha um trabalho que você ama
e você não terá que trabalhar um dia sequer na vida.*
Confúcio

As minhas transmutações pessoais descritas anteriormente não pouparam a minha atuação profissional, como já mencionado. A reboque delas, encontro-me no presente momento em franca reordenação quanto ao modo como atuo enquanto médico. Sem jamais deixar de lado todo o importantíssimo corpo de conhecimento técnico e científico que embasa a atuação de qualquer profissional médico, hoje procuro, na medida do possível, abranger outras esferas no trato com os pacientes. Quando autorizado pelo paciente, cabível dentro do contexto da relação médico-paciente e quando adstrito aos preceitos éticos da boa prática da medicina, muitas outras dessas esferas têm aparecido na minha prática profissional além apenas da esfera física-técnico-orgânica tradicional. Às vezes, a esfera psicoemocional vem à baila, às vezes surge a religioso-espiritual, às vezes a humano-social ganha evidência, às vezes despontam outras ou mesmo todas elas juntas. Quanto mais outras esferas aparecem nesse contexto, mais fortalecida parece tornar-se a minha conexão com os pacientes e melhores resultados os tratamentos parecem surtir nesses casos. Descrevo a seguir um desses casos, que ajuda a ilustrar melhor o que eu quero dizer com isso, como procuro unir a parte técnico-científica tradicional com tudo aquilo pelo que passei em termos de transformação pessoal para tentar ajudar, da melhor forma possível, a pessoa do outro lado da mesa ou do bisturi. Apesar de autorizada a divulgação pela própria paciente, os nomes, dados e locais concretos são fictícios com o intuito de preservar ao máximo a privacidade e a intimidade da pessoa real.

Daniela é uma moça de trinta e poucos anos, escritora, jornalista e publicitária. Trabalha em uma agência de publicidade num bairro não muito distante do meu consultório e mora com a namorada, em um apartamento próximo do seu trabalho. Daniela me procurou, pois nunca tinha sido submetida a um exame da cabeça e considerava pertinente, dado seu histórico clínico, passar por uma investigação cerebral mais detalhada. Daniela faz acompanhamento psiquiátrico e psicológico há vários anos e já fez uso de diversas medicações psicotrópicas nos últimos anos, tendo passado por múltiplos profissionais. O exame físico neurológico dela era normal. À época do meu primeiro atendimento com ela, eram três remédios diferentes com os quais ela tentava minimizar seus distúrbios psicoemocionais: um antidepressivo, um estabilizador de humor e um antipsicótico. Daniela se automutilava e tentava se matar desde os dezesseis anos de idade, aproximadamente. Ela também se queixava de pesadelos e alucinações que iam desde a sensação de derretimento da metade direita do seu próprio rosto, passando por imagens de espinhas e esqueletos de peixes entalados em seu esôfago e estômago, até cenas de vermes saindo de sua própria cabeça.

Àquela altura da consulta eu provavelmente, em outros tempos, já teria procurado finalizar o atendimento entregando solicitações de exames neurológicos complementares. Afinal, tais sintomas e problemas pareciam começar a extrapolar demais os estreitos limites da minha especialidade médica. Entretanto, na esteira de minhas mudanças pessoais, passei a me interessar com honestidade pelo sofrimento e pelo histórico pessoal dos pacientes que me procuram, algo que francamente nunca me chamou muito a atenção nos anos iniciais de minha atividade profissional. Assim, continuei a escutar e perguntar a respeito da pessoa que estava à minha frente e não somente a me deter ao personagem superficial do paciente que buscava um atendimento médico técnico protocolar.

Daniela relatou-me que foi violentada sexualmente por volta dos seis até os treze anos de idade, no início pelo próprio pai, depois por um tio paterno, depois por um primo e por fim também por um vizinho de rua, na cidade onde cresceu, na região Sul do Brasil. Ela havia acabado de entrar com uma denúncia formal contra seus quatro abusadores junto às autoridades competentes, apenas poucas semanas antes daquela nossa primeira consulta. Ela fazia questão de expressar, em diversas ocasiões, o quanto tinha ódio deles todos, chegando inclusive a afirmar que tinha vontade mesmo é de matar todos a pauladas.

Indaguei acerca de memórias e lembranças relacionadas a vermes. Ela recordava-se de um episódio em que, aos sete anos, seu cachorro de estimação fora mordido por um rato e que vermes passaram a crescer na ferida, causando-lhe grande repulsa. Perguntei-lhe também sobre possíveis recordações envolvendo derretimento, fogo ou queimadura, ao que ela mencionou a profissão do seu pai, metalúrgico, trabalhando bastante com maçaricos e fundição de metais. Ela não se recordava de nenhum fato marcante relacionado a peixes ou espinhas. Questionei Daniela quando e para quem ela informou, pela primeira vez, sobre os estupros sofridos na infância. Aos 17 anos, ela contou à mãe sobre os trágicos eventos de sua infância, mas optou por omitir o envolvimento do pai. Conforme dito por Daniela, sua mãe apenas chorou e pediu para que ela contasse a história toda para o pai, que, por sua vez, mencionou ser algo normal que poderia acontecer com qualquer um. A mãe de Daniela tinha apenas 16 anos de idade ao pari-la. Ela desconfia que sua mãe tenha sido, também, violentada por seu pai, pois, na época em que engravidou, era empregada doméstica de um amigo dele. Ela também se recorda de cenas do próprio pai estuprando uma menina de dez anos na sua frente. Daniela também menciona que ele sempre perguntava para a mãe se a menstruação de Daniela estava vindo regularmente. Quanto ao vizinho, para calar Daniela, ele usava táticas terroristas de intimidação e medo, falando que ele tinha poderes mágicos e poderia colocar vermes no fígado e nos intestinos da avó e da mãe dela, caso fosse denunciado.

Fruto de uma gravidez não planejada e possivelmente por um ato sexual não consentido, a mãe de Daniela tentou, sem sucesso, abortá-la. Nas palavras da mãe, Daniela nasceu quase morta e teve que ser ressuscitada na maternidade. A vida da mãe parece ter sido também marcada por inúmeras desventuras: desde ter sido abandonada e entregue a desconhecidos pela mãe (avó de Daniela), não ter tido instrução escolar, ter sido violentada sexualmente, ter a cabeça raspada por patrões, ter sido mãe adolescente e ter cinco filhos com cinco homens diferentes.

Já bastante desnorteado e atordoado pela infindável exposição de tragédias e angústias, eu finalmente entreguei a Daniela os pedidos para exames neurológicos complementares, sugeri que ela mantivesse os tratamentos psiquiátrico e psicológico rotineiros e a primeira consulta foi então encerrada.

Transcorridos cerca de dois meses da primeira consulta, Daniela retorna para me mostrar os exames pedidos. Os resultados (como suspeitava) estavam todos normais. Ela me presenteia com um de seus livros publicados, um romance policial ficcional versando sobre um *serial killer*. Pergunto como ela está. "Cada vez pior", foi a resposta. O psiquiatra havia aumentado as doses de todos os remédios, e ela persistia ainda com vontade de se matar e se automutilar. A raiva em relação aos seus molestadores não havia cedido, apesar da denúncia; ao contrário, só crescia. Perguntei se ela tinha alguma recordação boa da infância, ao que me respondeu que não se lembrava de nenhuma significativa. Ainda interpretando apenas meu papel de médico-técnico protocolar, eu recomendei que ela mantivesse à risca o tratamento e não hesitasse em contatar urgentemente seu psiquiatra para discutir uma eventual internação, tendo em vista a manutenção de suas ideações suicidas. Nesse ponto, eu poderia ter tranquilamente encerrado o atendimento e "vida que segue", mas o ser humano atrás do médico quis, de alguma forma, conectar-se com o ser humano atrás do paciente do outro lado da mesa. A partir dali, começamos a adentrar mares profissionais muito pouco navegados até então por este que escreve (digita, na verdade) estas palavras.

Desse modo, eu disse: "Olha, Daniela, formalmente, a parte técnica médica comigo poderia ser encerrada aqui. Contudo, notando como as coisas todas parecem se encaminhar hoje de forma não muito promissora para a sua vida, eu me sinto um pouco tentado a dar uma sugestão a você. Talvez não mais agora no papel formal de médico, mas como pessoa, mesmo". Ela respondeu: "Fique à vontade, doutor".

A minha intuição, ao escutar toda a história de Daniela, foi no sentido de propor algo completamente contraintuitivo, algo que pudesse, de alguma forma, abrir uma pequena fresta que fosse naquele enorme caixote de negatividade dentro do qual ela parecia estar inteiramente mergulhada desde sempre. Ao rever os prontuários e relembrar dessas duas consultas, não pude deixar de observar a total ausência de qualquer adjetivo, verbo ou substantivo com conotação minimamente positiva expressada por ela.

Prossegui, alertando: "Veja, Daniela, o que vou te sugerir aqui não implica, em absoluto, que eu seja condescendente ou não me indigne com os atos de maldade perpetrados contra você. Não se trata disso. A ideia é simplesmente a de tentar, através de um exercício mental, dar chance ao seu cérebro de modificar-se para uma leitura emocional e sentimental diferente daquela que até hoje ele se habituou a fazer e parece não ser nada saudável sob o ponto de vista psicoemocional".

A minha sugestão para Daniela, até mesmo já aproveitando a sua habilidade de escritora, foi a de que ela escrevesse uma carta manuscrita ao pai dela (seu primeiro molestador). Uma das sobrancelhas dela elevou-se um pouco ao ouvir. Recomendei que fosse escrita à mão e não por via digital (celular, tablet ou computador), já que o ato de escrita motora manual tende a ser bem mais poderoso para fazer conexão com partes mais antigas e profundas do cérebro do que a via digital de escrita. Sugeri que a carta ao pai dela fosse dividida em três partes.

Na primeira parte da carta, o foco seria o negativo. Escrever todos os eventos, cenas, acontecimentos e episódios mais marcantemente negativos envolvendo o pai, juntamente com todos os sentimentos, emoções, palavrões e xingamentos que viessem à tona. "Quanto mais minuciosa e rica em detalhes, envolvendo fatos reais concretos e seus respectivos ambientes e paisagens, maior potencial de transformação o exercício poderia trazer", eu disse a ela. Recomendei o uso extenso dos cinco sentidos na descrição dos eventos e emoções: visão (riqueza de imagens), audição (sons, ruídos, frases, gritos, barulhos etc.), paladar (gostos de comidas eventualmente envolvidas), tato (toques, tapas, dores etc.) e olfato (cheiros, perfumes, odores etc.).

A segunda parte da carta estaria devotada ao positivo. Gratidão ao pai. Agradecer ao pai dela por aspectos positivos advindos dessa relação. Ser grata por ser filha daquele pai. Nesse instante, as duas sobrancelhas dela elevaram-se de forma mais acentuada, simultaneamente. Prossegui dizendo que nem sempre no começo é fácil encontrar e enumerar eventos e características que possam ser vistas como positivas, mas que a tendência é que alguma coisa surja conforme o exercício vá se desenrolando. Nesta segunda parte da carta, também recomendei a descrição minuciosa de fatos e a importância do uso dos cinco sentidos para potencialização cerebral da técnica. Sugeri, como ponto de partida, que ela não estaria sentada naquele momento na minha frente se não fosse pela existência do pai, e que este poderia ser um primeiro fato a agradecer a ele.

A terceira e última parte da carta deveria ser dedicada ao perdão e à aceitação. Nesse momento, ela me interpelou, de olhos arregalados, expressando a baixa probabilidade de que pudesse fazer isso. Respondi que ficaria a critério exclusivo dela fazer ou não o exercício conforme proposto, não me competia impor ou decidir por ela, e que se tratava apenas e tão somente de uma sugestão pessoal minha. Continuei a detalhar que o perdão e a aceitação podem ser estimulados quando deixamos um pouco de nos perceber os únicos detentores de sofrimento. Expliquei a ela que, da mesma forma que ela estava sofrendo imensamente por estar presa a moldes mentais deflagrados na infância dela, eu também padeço do mesmo problema, a pessoa na sala de espera também tem suas gaiolas mentais ocultas e o pai dela também deve ter uma história pessoal de vida que o condicionou a ser, pensar, agir e comportar-se da maneira como o fez, sem conseguir fazer de outra forma, exatamente por não se perceber enjaulado por cabrestos de pensamento que produziram o curso de vida que ele teve. A ideia de perdão envolveria a maior honestidade, sinceridade e profundidade da alma que ela pudesse alcançar. O perdão, nesse caso, miraria em especial a transformação de memórias íntimas muito profundamente associadas a sentimentos e emoções ruins, principalmente ligadas à imagem daquele pai virtual da infância e não tanto ao pai "pessoa física real atual".

Para um possível e discreto alívio dela, segui a explicação do exercício proposto, informando que não seria adequado ao propósito que a carta fosse diretamente entregue ao pai dela, já que a intenção primordial não seria a de tentar mudá-lo ou absolvê-lo. Assim, a minha sugestão foi de que ela, em um recipiente seguro, com cuidado para não se queimar, colocasse fogo à carta. Essa parte ritualística teria a intenção primordial, através de associações simbólicas e icônicas, de poder comunicar-se de forma mais fluida e inteligível com a parte de processamento inconsciente do encéfalo dela. Como veremos no próximo capítulo, os símbolos, as imagens, as metáforas e os ícones são um dos principais portais disponíveis para acesso a esferas subconscientes da nossa mente. Assim, pedi que, durante o processo de queima da carta, Daniela ficasse bastante atenta aos símbolos associados: a fumaça expelida representaria o negativo da primeira parte da carta indo embora; o fogo, a luz e a chama representariam a segunda parte da carta (o positivo, a gratidão e o bom de ser filha daquele exato pai); as cinzas restantes simbolizariam, por fim, a última parte, o perdão, com as cargas negativas sendo desprendidas. Como os neurônios são células relativamente lentas para se reconectarem, propus a ela que não fizesse apenas uma única vez a carta, mas que repetisse o processo tantas e quantas vezes considerasse possível e necessário, em especial para atingir o estágio de perdão da terceira parte da carta com a maior leveza, desprendimento e sinceridade íntima que ela conseguisse.

Aqui farei um aparte com a finalidade de explicar qual seria o embasamento neurológico por trás de um exercício como esse. A primeira parte da carta, com seus aspectos negativos, tem a finalidade de reviver momentos profundamente dolorosos experimentados na infância. Por que isso? É claro que não se trata de sadomasoquismo. A ideia básica é que, ao reexperimentarmos traumas angustiantes, soterrados no íntimo, tudo aquilo que fora identificado como extremamente deletério pela criança que viveu o episódio à época passe a ser reavaliado de forma muito menos danosa pela mente amadurecida adulta atual. Em outros termos, aquilo que fora bloqueado como um grande fantasma pode passar a ser visto como apenas um pequeno "Gasparzinho"; aquilo que fora experimentado como um enorme diabo à época da infância pode ter a chance de conseguir ser revisto apenas como um "capetinha" sob a perspectiva mental do adulto de hoje. Entretanto, essa reordenação emocional e sentimental em torno dos fatos vividos na infância só pode ser feita se essas memórias forem vividamente reacessadas. É obviamente doloroso, mas tende a se tornar menos e menos sofrido conforme o negativo vai sendo revisto cada vez como menos e menos negativo. A expectativa é a de que o que antes demandava física e energeticamente extensos conjuntos de circuitos neuronais para manter amplas áreas de emoções negativas ligadas a episódios pregressos ("grandes demônios") possa ir encolhendo em seus aspectos negativos ("pequenos capetinhas") e liberando neurônios para refazerem outros circuitos com ideias, sentimentos e emoções mais positivas.

Contudo, apenas encolher os circuitos negativos através da revisita seriada aos traumas de infância não resolve o problema, já que se trata de uma diminuição, mas não de eliminação. A segunda parte da carta, ligada à ideia da gratidão e do positivo, teria a função básica de ocupar o espaço deixado por interpretações e percepções negativas, encolhidas e diminuídas com a primeira parte da carta (e o respectivo símbolo da fumaça), por novas conexões e novos circuitos neurais positivos, promovidos pela segunda parte da carta (e o respectivo símbolo do fogo, luz e chama). Mesmo diminuindo ao máximo os circuitos cerebrais negativos relacionados ao pai e ocupando o lugar dessa penumbra negativa com novas conexões positivas através de processos físicos de reordenação e neuroplasticidade cerebral, ainda seria necessário romper com qualquer resquício de negatividade sentimental restante, por menor que fosse, sob pena de não conseguir eliminar padrões de personalidade, comportamentos e características autossabotadoras e autodestrutivas, nutridas pela reação instintiva de vingança mantida pelo pequeno núcleo de negatividade restante.

Assim, a ideia da terceira parte da carta, o perdão e a aceitação (associados ao símbolo das cinzas), serve como incentivo à sedimentação de uma ideia paradoxal com potencial de romper com este resquício de negatividade. A ideia paradoxal contraintuitiva e nunca cogitada do perdão serviria, então, como uma possibilidade nunca pensada, nunca sentida, completamente "fora da caixa", uma chance de vislumbrar outra versão para a própria vida. Surgiria aí uma chance de opção real entre manter a mesma versão interpretativa de sempre (com os sofrimentos conhecidos) para a própria biografia ou a alternativa por uma versão ainda não imaginada, talvez com caminhos futuros mais livres e prósperos.

Daniela saiu da consulta bastante pensativa e reflexiva. Passaram-se vários meses sem que eu tivesse qualquer notícia dela, até que um dia recebi dela uma mensagem de áudio, a qual transcrevo aqui, na íntegra:

Oi, doutor Leonardo, primeiro eu queria te agradecer muito, porque eu lembro que aquele dia no consultório, quando você falou de perdão, para mim parecia algo impossível. Eu comecei a escrever as cartas e, por incrível que pareça, eu não escrevi tantas cartas assim. Hoje eu vou escrever minha quarta carta. Mas todo aquele processo de jogar um líquido inflamável, colocar fogo, sentir toda a sinestesia do calor do fogo, do movimento do fogo, das cores do fogo, a temperatura ao meu redor, tudo aquilo começou a me trazer uma explosão de lembranças no dia a dia. Lembranças não só de como eu fui uma criança infeliz porque eu era estuprada, mas lembranças de como eu também fui uma criança feliz, de subir em árvores, de andar descalça na areia, de brincar com meu cachorro, de lembrar de que eu amava o meu pai e que eu era muito feliz com ele. Eu conversei com meu psiquiatra e também com a minha psicóloga e eu queria te atualizar sobre uma coisa. Eu tive lembranças de momentos de pedofilia, de o meu pai me fazer brincar com o pênis e testículos dele e de eu rir muito daquilo e de ele também sorrir para mim, e lembrar de que a sensação que eu tinha daquilo era de amor, de eu me sentir amada pelo meu pai. Não é uma Síndrome de Estocolmo, né? Parece curioso, né? O meu psiquiatra e a minha psicóloga me fizeram entender isso. "Calma, pedofilia continua sendo crime; só que você está ressignificando o seu pai." E daí, de lembrar e de ter essa lembrança muito mais forte, é como se eu estivesse tendo uma injeção de lembranças boas se tornando muito mais fortes do que as lembranças ruins, sabe? Eu vim aqui para o interior de Goiás, porque eu senti essa necessidade... porque, quando eu era criança, eu morava numa casa com um quintal muito grande, com muitas árvores e tal, e três casas depois tinha um sítio e eu gostava muito do sítio, eu gostava muito do dono do sítio. Eu lembro de dar a mão para ele e ele me levar lá "no coisinha" das galinhas para colher os ovinhos, de dar lavagem para os porcos, lembro de subir na árvore e ficar comendo fruta no pé, de me esconder em alguma árvore do pomar, de jogar as sementes das frutas comidas nas pessoas que passavam escondida, sabe? Eu vim agora para cá onde tem uma horta e um pomar, e daí eu colho limão, eu águo as plantas, e aí... ah... eu já vou me emocionar... essa coisa de aguar as plantas era uma das coisas que o meu pai mais gostava de fazer. Enquanto eu aguava as plantas, com os pés descalços e de sentir o contato com a terra que eu adorava, eu lembrei de como meu pai é um homem gentil, né? Nossa, isso está sendo muito poderoso, sabe? Assim, isso agora é uma coisa que a minha psicóloga está trabalhando, que é de eu não me sentir culpada por ter processado e denunciado, porque são coisas completamente diferentes, né? É a minha cura. Até mesmo do meu vizinho, eu ainda não consigo... claro que a gente começou a focar só no meu pai e escrever as cartas para o meu pai, mas o meu tio e o meu primo foram estupros mais violentos. Eu não sei. O meu tio... eu até consegui pensar um pouco sobre ele, sabe? As lembranças foram puxando, porque ele era um cara que se drogava muito, enfim, eu estou mais nessa coisa do meu pai e, ao mesmo tempo em que eu tenho ressignificado meu pai, eu tenho sentido um amor muito grande pela minha mãe, como, por exemplo, nessa coisa das cartas, eu lembrei da primeira vez em que eu tive uma crise de pânico, que na verdade não foi uma crise, porque foi um momento real, que foi quando tentaram invadir a nossa casa e o meu vizinho, esse vizinho que me violentava, ele sempre fazia isso à noite para me assustar. Então eu sabia. Eu tinha uma quase certeza de que era ele. Minha mãe abriu a porta da frente de casa. Nossa casa era tipo no fundo do quintal, que dava para o quintal da minha avó e ela começou a gritar pelo meu tio, porque meu tio era sargento do exército. Ela começou a gritar por ele e eu lembro de estar só de calcinha e de ter de ficar de ponta de pé para ao menos alcançar um pouco da janela para ver lá fora, porque eu era muito pequena. E daí ela falou assim para mim: "Filha, fique aqui que eu já venho", pulou a janela e foi embora. E era esse o significado que eu tinha, de estar completamente sozinha. Pô, minha mãe me abandonou numa situação de perigo e, na hora em que ela saiu, o cara pulou da árvore de frente da minha casa e ali eu reconheci, não sabia quem era – eu tinha muitos pesadelos com essa coisa de ter alguém na árvore de frente, às vezes de ser um monstro, às vezes de ser um fantasma, eu nunca lembrava da situação toda, eu sempre via alguém na árvore –, e com esse tratamento, eu lembrei de que era o meu pai. Ele estava muito barbudo e estava ali, porque ele tinha abandonado a gente quando eu tinha três anos. Nesse momento eu tinha ali uns seis anos, e ele estava ali sondando a minha mãe para ver se ela tinha uma outra pessoa, porque dias depois ele reapareceu, me deu uma bicicleta e tudo mais. Então eu vim lembrar disso agora, recente, e aí o que aconteceu nesse dia? Meu tio não estava, mas estava minha tia, esposa dele, e ela veio armada já dando tiro, e minha mãe junto com ela e a minha mãe querendo atirar e a minha tia ensinando ela. Eu lembro da minha mãe tipo... pegar a arma com as duas mãos assim, sabe, e fechar os olhos e pá, pá, atirar. Cara, isso foi muito foda, porque assim... Desculpa eu te chamar de "cara" e de dizer "foda", eu sei que você é médico, mas eu sei que você... eu tenho visto seus vídeos no canal e também têm me ajudado muito, mas eu acho assim, porra, antes eu sabia que tu pensava que, porra, minha mãe me abandonou. Então, sempre que eu me sentia sozinha ou abandonada, inconscientemente, eu tinha as crises de pânico. Ainda tenho, né? Mas eu já consigo dizer para mim que, pô, não fui abandonada, não, minha mãe foi lá, cara, buscar ajuda, voltou armada dando tiro. Tipo, minha mãe é minha heroína. Ela é foda, tipo, ela é minha Mulher Maravilha. Eu tenho visto também a minha mãe desta maneira e isso tem me dado, pela primeira vez, uma compaixão muito grande por ela, um amor assim imenso por ela, sabe? E, pelo meu pai, uma certa... não sei... aquela cosquinha no coração do tipo, cara, do seu jeito, você foi um bom pai para mim. Do teu jeito, você deu o que era melhor. O fato de você ter abandonado a gente ali, ter ido embora... nunca mais ter casado, nunca mais ter tido filho, talvez tenha sido sua punição, talvez tenha sido tua consciência. E é isso, eu estou te passando esse relatório, né? Depois a gente marca de novo uma consulta, você me traz mais coisa para esse tratamento. Mais para te dizer que tem sido muito bom (sons de galinha cocoricando ao fundo do áudio), e eu tenho compartilhado isso com as meninas do grupo. Eu tive até de sair do grupo, né? Eu não tenho como, né? Eu estava falando muito do estupro, da minha raiva, desses monstros, desses filhos da puta, compartilhando... E falando com as meninas e escutando a história delas, e eu percebi que aquilo só reforçava a minha situação, então eu deixei. Eu abandonei tudo isso. Excluí as pessoas, falei com as meninas do grupo – "ó, eu sei que eu fundei esse grupo, mas eu vou me tratar, vou voltar na minha psicóloga, não vou falar com ninguém durante um bom tempo, respeitem esse momento" – e deixei de compartilhar essas coisas de estupro, deixei de ver essas coisas, deixei de procurar essas coisas e estou só me inundando dessas lembranças. E é engraçado assim, doutor, que essas lembranças, elas têm sido mais lembranças boas do que lembranças ruins, sabe? Bom, é isso, depois você me manda mais coisas que eu possa acrescentar. Hoje eu vou escrever a minha quarta carta com essa compai... não é nem compaixão ainda... não chegou nesse nível, mas com essa certa dose de amor e compreensão pelo meu pai.

Eu confesso que não pude conter a emoção e as lágrimas ao ouvir este áudio. Foi-me extremamente impactante perceber o que estava acontecendo. Com uma profunda comoção gerada pelo relato dela, eu pude aprender como pode ser benéfico agregar a dimensão humana aos protocolos técnicos tradicionais.

Daniela retornou em consulta comigo há cerca de um mês. Conversamos a respeito de sua evolução e de alguns aspectos atuais de sua vida. Ela nunca mais teve ideações suicidas (vontade de se matar), algo inédito nos seus últimos quinze anos. Apesar desta ótima notícia, ela ainda mantinha ideias de automutilação. Ela estava também um pouco desanimada, pois tinha acabado de passar com o seu psiquiatra, que não a autorizara a retornar ao trabalho ainda, algo que frustrou suas expectativas naquele momento.

Dois tópicos chamaram-me bastante atenção. O primeiro é que ela parecia estar algo hesitante e indecisa em relação à sua carreira profissional. A vinda dela para São Paulo no final da adolescência foi especialmente fomentada a partir de um blog de ativismo feminista e, ao que se nota, grande parte da carreira dela foi estruturada a partir dessa luta, cuja motivação íntima e pessoal talvez tenha sido um "projeto de vingança" inconsciente contra seus abusadores. O segundo tópico notável diz respeito à orientação sexual de Daniela, que nunca se viu atraída por qualquer indivíduo do sexo masculino antes, mas que passou a sentir atração físico-sexual por homens no momento atual. Tratou-se de um dado completamente inesperado para mim, uma vez que a orientação sexual dela nunca tinha sido tema de propósito de discussão, tratamento ou abordagem antes.

A minha interpretação para esses dois fenômenos é a de que o processo de reorganização cerebral em curso em Daniela talvez seja de tal magnitude que começou a tocar em dois alicerces relevantes da vida dela: a carreira profissional e a orientação sexual. O processo de reconstrução de percepções e interpretações da imagem do pai da infância parece ter feito emergir assuntos importantes referentes à conexão dela com a mãe. Passamos grande parte da consulta explorando sua leitura em relação à mãe dela durante a sua infância. Daniela refere que a mãe era bastante violenta e menciona, como exemplo, a cena da mãe atravessando a mão de um padrasto de Daniela com uma caneta enquanto ele repousava numa rede de descanso e a família passava fome. Não obstante, Daniela percebe-se muito parecida com a própria mãe: a mesma impulsividade, a mesma raiva, a mesma agressividade de sua genitora. Ela relata também um episódio em que a sua mãe correu com uma faca empunhada atrás dela, com muita raiva.

A minha impressão geral de Daniela nesse último encontro foi de ela estar um pouco perdida, sentindo-se meio desorientada. Apesar de não ser algo lá muito benéfico em si, essa impressão geral que tive pareceu-me bastante promissora, porque, se antes eu via uma pessoa extremamente centrada e rigidamente encaixotada dentro de um negativismo contestador e vingativo que produzia amplos sofrimentos íntimos, agora enxergo alguém não tão amarrado a isso e com a possibilidade de se colocar como que diante de uma encruzilhada íntima e pessoal. Tal encruzilhada poderia ser expressa na escolha entre dois caminhos principais: voltar a se apegar ao jeito de ser de sempre, com os mesmos padecimentos conhecidos e com o sofrimento familiar, ou optar pelo caminho do risco de uma potencial felicidade desconhecida, numa versão mais livre e possivelmente próspera de si. Tal escolha naturalmente é inalienável, não pode ser terceirizada: apenas Daniela pode decidir isso por si mesma.

Com um processo já mais nítido em relação ao pai, procurei, então, de algum modo, inspirá-la a tentar transformar os aspectos ligados a percepções negativas de abandono e de falta de proteção e de afeto materno. Assim, sugeri que ela mantivesse firme os tratamentos psiquiátrico e psicológico e propus dois outros exercícios mentais. O primeiro deles foi um exercício baseado em desenhos a serem feitos todos os dias para diminuir a sensação inconsciente de dependência por carinho, proteção, segurança e afeto em relação à mãe. O segundo foi um exercício baseado em escrita com a produção de dois textos paralelos: um texto associando a sua biografia pessoal a um conflito geopolítico (como israelenses e palestinos, por exemplo), baseado na ideia de confrontação, antagonismo e vingança, além de um possível desfecho futuro para a vida dela e para o conflito geopolítico com essas premissas, e, em paralelo, um segundo texto associando a biografia pessoal dela ao mesmo conflito geopolítico, baseado dessa vez na ideia de perdão, tolerância e fraternidade, e um possível desfecho para essa outra vertente. A consulta foi encerrada, mas nossas vidas com certeza foram reciprocamente tocadas de uma forma muito profunda.

Pendurar o jaleco

Outro dia, um colega médico me contou sobre um episódio que ele vivenciou durante a sua época de estudante na faculdade de Medicina e que ficou marcado na cabeça dele. Certa vez, um professor explicou que, como médicos, antes de entrar no consultório, devemos deixar pendurada na porta nossa personalidade, tal qual fazemos com um jaleco. Segundo tal professor, para atender um paciente, apenas o aspecto técnico do médico deve adentrar o consultório.

Ao ouvir essa história, lembrei-me de um episódio que eu mesmo experimentei nas minhas primeiras aulas de propedêutica médica durante meu 4º ano da faculdade. Durante o relato da anamnese feita por um dos estudantes, o professor fez a seguinte colocação: "Vou lhes dar uma dica muito valiosa que vocês precisam ir treinando com o tempo: não se envolvam em todas as historinhas que os pacientes relatam, senão vocês vão acabar se perdendo. A maioria das coisas que o paciente fala é completamente descartável, atenham-se apenas aos aspectos médicos pertinentes e conduzam o relato do paciente dentro dos limites apenas das informações clínicas úteis".

Será que o ensino médico caminha na direção certa? O relato do meu colega me leva a questionar se o caminho adequado da medicina é o do atendimento robótico feito pela inteligência artificial com o menor componente humano possível. O auge do desenvolvimento da medicina seria então o triunfo da tecnologia protocolar? Poderíamos, então, sob pretexto de deixar o aspecto falível do humano o mais distante possível do consultório médico, ignorar conceitos como empatia, acolhimento, espiritualidade, emoções e biografia individual?

O relato da minha vivência pessoal nos idos da faculdade traz-me inquietações semelhantes. Enfiaremos o protocolo médico padrão goela abaixo do maior número possível de pacientes? Será, então, que é o paciente que deve se adaptar ao que consta nos *guidelines* ou seria o contrário, em que o médico deve estar flexível a receber a totalidade das demandas do paciente? Uma questão de lógica primordial: está a medicina para servir o paciente ou está o paciente para servir a medicina?

Onde eu fui me meter?

Recentemente, fui convidado a participar de uma reunião de médicos residentes. O evento ocorreu logo após o desligamento voluntário e súbito de um médico residente daquele grupo na metade do seu 2º ano de formação. Durante a reunião, foi exposta a seguinte estatística: 51% dos residentes daquela instituição hospitalar apresentavam algum grau de depressão!

Costumamos depositar grandes expectativas em relação à nossa atuação profissional e à nossa carreira. Não é infrequente, porém, esperarmos do trabalho soluções e respostas que estão muito além do que uma profissão ou carreira possa oferecer.

Não, trabalho não serve para nos tornarmos pessoas melhores.

Não, carreira não serve para provar algo a alguém.

Não, profissão não serve para atender expectativas alheias.

Não, atividade laboral não serve para dar sentido ou propósito à nossa vida.

A residência médica constitui um ambiente fértil e intenso para um choque gritante de realidade em médicos recém-formados. Durante essa reunião, eu tive a oportunidade de expor alguns aspectos da minha própria história profissional: como fui movido por escolhas basicamente inconscientes, automáticas e pré-programadas desde o colégio, passando pela faculdade, residência médica, especializações e atuação prática, e como esse modo pouco refletido e pouco pensado provocou-me grande tormento por longos anos.

Hoje enxergo o trabalho como uma ponte, uma ferramenta ou um instrumento, que se presta a me conectar com os outros e com o mundo à minha volta. Uma forma de expressão de mim mesmo com o mundo ao redor. Um modo de poder entregar o melhor de mim mesmo ao outro. Apanhei demais enquanto não tinha consciência de por que eu tinha de fato escolhido a minha profissão. Sofri bastante enquanto buscava usar a carreira mais para servir a interesses egoístas do que para me entregar aos outros.

Talvez seja prudente saber a utilidade da ponte antes de construí-la. Talvez seja interessante saber a utilidade do instrumento e da ferramenta antes de usá-los. A maneira como a maioria dos colégios, escolas, faculdades e universidades está estruturada atualmente se presta muito mais à formação de um bom técnico do que à formação de uma boa pessoa. Mas será possível que exista um bom técnico sem existir antes uma boa pessoa?

Exterminador

Durante a minha prática profissional, tenho notado que há situações em que prevalece o meu papel médico de "exterminador da doença" e há outras em que prevalece o de "promotor da saúde". Esses "papéis" nem sempre se sobrepõem um ao outro.

O papel do "exterminador de sintomas" parece combinar melhor com o atendimento à "doença do paciente". Já o papel do "promotor de saúde" parece combinar melhor com o atendimento da "pessoa que sofre".

Confesso que, durante a maior parte do início da minha atuação profissional, o meu foco era quase que exclusivamente o de tratar "a doença do paciente", sem me importar tanto com a "pessoa que sofre" por trás dos exames. Hoje, tenho me esforçado cada vez mais para dar atenção ao aspecto de "promotor da saúde", tentando conectar o histórico de vida pessoal ao conjunto mais amplo "paciente-ser humano que sofre" e que também tem sintomas e doenças.

Mas, assim como o médico precisa estar disposto e aberto ao papel de "promotor da saúde" para escutar "a pessoa que sofre" por trás do "paciente com doença" que o procura, há que se ter abertura e permissão por parte do paciente para que esses aspectos mais amplos, abrangentes e potencialmente mais curativos possam ser explorados. Quando esses campos mais amplos (tanto do médico quanto do paciente) se abrem, todos os "papéis", de um lado e de outro, começam a cair, e os caminhos mais sólidos de cura, evolução, desenvolvimento e saúde efetivamente podem ser mais bem trilhados.

"Desespecializando-me"

Neurocirurgia. Mergulhei de cabeça em uma área bastante específica da medicina. Não é de impressionar o que a especialização humana pode fazer? Quanta complexidade, diversidade e evolução tecnológica não nos foram possíveis graças a essa maciça divisão e superespecialização de um sem-número de áreas distintas de conhecimento e trabalhos? Não é fantástico que alguém possa preocupar-se apenas em escrever livros, enquanto outro pode dedicar-se somente a discutir leis e outro pode aprofundar-se unicamente em ministrar aulas?

Contudo, nem todo mergulho em uma área microespecífica do conhecimento humano necessariamente encontra águas profundas o suficiente para anteparo. Foi o meu caso: o meu mergulho profissional inicial encontrou águas um pouco rasas demais, e eu me machuquei. É óbvio que isso não é culpa alguma da minha área de especialização em si. A responsabilidade é inteiramente minha, já que o ímpeto do meu mergulho sem o devido preparo é que me trouxe os percalços.

No meu caso, faltou dedicar-me com maior zelo a aspectos anteriores fundamentais para a constituição de um bom profissional. Antes de querer ser um bom profissional, há que ser um bom ser humano. Eu menosprezei o meu aprimoramento íntimo pessoal frente a uma dedicação esmerada apenas aos aspectos técnicos e científicos da minha profissão. Talvez eu tenha erroneamente pensado que o aprofundamento profissional estrito fosse suficiente para me tornar um bom médico. Foi uma suposição inadequada, como a vida veio a me mostrar.

Hoje eu "corro atrás" do que foi deixado de lado e foi pouco desenvolvido em mim particularmente. Descobri que, antes de ser um bom neurocirurgião, há que ser um bom médico. Mas, antes de ser um bom médico, há que ser um bom ser humano. Esta é a minha jornada atual: a de tentar recompor elementos ignorados na composição da minha pessoa. São os famosos passos para trás em busca de retomar o mesmo caminho, mas com um caminhar completamente transformado.

Vulnerável

Há algum tempo, chorei durante uma consulta. Nunca tinha acontecido antes comigo. Sempre fui muito "durão" na minha postura profissional. Naquela ocasião, por algum motivo, minhas experiências pessoais de transformação juntaram-se à minha intuição do que realmente, de fato, fazia aquela pessoa sofrer na minha frente e a como eu era limitado, na minha condição de médico, para de fato eliminar as raízes mais importantes do problema dela. Tudo isso verteu-se em lágrimas. Consegui me recompor, e a consulta transcorreu dentro de certa "normalidade". Ao final da consulta, fui espontaneamente abraçado pela mãe da paciente. Um abraço meio de consolo e meio de compartilhamento ("somos todos humanos"). Senti-me um idiota durante o resto do dia. Imaginei que nunca mais as veria. Para minha surpresa, a paciente retornou em consulta um tempo depois com os exames solicitados, sem a mãe, com um ar menos sofrido. Iniciei o tratamento e não sei o que acontecerá. Talvez as nossas verdadeiras fortalezas não sejam feitas de muros, mas sim de pontes.

Combater a doença × Cooperar com a saúde

Cabe ao agricultor apenas a preocupação com a extirpação das ervas daninhas e o envenenamento das pragas que ameaçam a plantação? Imagino que não, pois suponho que a abordagem de um bom agricultor vá muito além: o cuidado com o solo, com a irrigação, com a iluminação, com a posição geográfica etc. E há até aqueles ainda que "conversam" e "interagem" com suas plantas com afeto e carinho!

Assim como o bom agricultor sabe que focar apenas a eliminação das ameaças às suas plantas não produzirá boa colheita, o bom médico também intui que se dedicar apenas ao combate da doença e da morte de seus pacientes não é suficiente para produzir bons resultados. Muito além de apenas extirpar doenças e sintomas e tentar adiar a morte, o bom médico sabe que pode ampliar a abrangência de sua atuação para a **cooperação com uma vida saudável**. Ao incluir esse segundo aspecto de atuação em sua prática, o bom médico passa a estender sua abordagem para **a pessoa por trás da doença**.

Contrapor-se ao mal não é sinônimo de incentivar o bem. Combater pragas na lavoura não é o mesmo que cultivar com esmero. Aniquilar doenças e sintomas não é igual a estimular a promoção de pessoas mais saudáveis.

Três formas de encarar a doença

Com frequência observo três formas básicas com que uma pessoa pode encarar uma doença, um sintoma ou um desconforto.

A primeira opção é alguém que, *inconscientemente*, parece "gostar" de estar doente. São pessoas que, até mesmo sem notar, acabam por se satisfazer ao atrair cuidado, carinho, atenção e comiseração de outrem através da doença. São pessoas que podem, sem plena consciência disso, usar a doença como meio de atrair a atenção para si próprios. Podem também obter algum "ganho secundário", como deixar de trabalhar, ou aposentar-se por invalidez ou ganhar benefícios fiscais para transporte ou carro etc. Essa forma de encarar a doença também pode acabar servindo como uma ótima desculpa para justificar um "autofracasso" perante a sociedade ou até perante a si mesmo.

A segunda opção, que me parece ser a mais comum, é a pessoa que quer "curar-se"; quer tirar o problema da frente para retomar com a normalidade da própria vida tal e qual vivia antes do infortúnio. Mas repare que essa segunda forma de encarar a doença pode embutir *implicitamente* certo grau de "autoengano", ou de uma "autoilusão". É como querer voltar para a vidinha rotineira exatamente como estava antes, porque a vida que se levava "nada tinha a ver com a doença". Será isso possível?! Será então que a minha doença, o meu sintoma ou desconforto são um mero azar, um acaso do destino? Seriam assim como um fantasminha externo a mim que me pegou por acaso, que não faria parte de mim mesmo? Se eu considero que a vida que levo produz, em grande medida, o que sinto, então essa segunda opção de apenas "curar-me" para voltar ao que eu era também não me serviria por completo. Caso contrário, mesmo que eu tivesse a sorte de "curar-me", ao retornar à mesma vida, saindo exatamente igual a quando entrei no problema, é provável que a mesma doença retorne mais à frente (por acaso você está lembrado de todas as dietas que fracassaram?) ou mesmo que outras doenças piores possam aparecer ligadas à vidinha a que eu insisto em querer continuar levando.

A terceira opção, talvez a menos comum de todas, é a pessoa que enxerga a doença como uma **oportunidade para evoluir**. Sob esse prisma, o problema passa a ser encarado como um sinal, um aviso, um alerta, como uma bandeira vermelha me sinalizando que estou caminhando na direção errada. Enxergando assim, não é satisfatório que eu busque retornar ao mesmo patamar de vida de antes. Com essa visão, procurarei voltar a um patamar melhor, em uma versão melhorada de mim mesmo. Nessa terceira via, somente uma evolução pessoal como ser humano poderá me tirar de uma espiral ruinosa negativa para o oposto: uma vida plena e próspera. Talvez, se eu encarar a doença como OPORTUNIDADE para EVOLUIR, mudar e melhorar a mim mesmo, remodelando a minha forma de pensar e conduzir a minha vida, eu tenha chances de não mais voltar ao meu patamar anterior (o mesmo que me levou a adoecer!), mas sim de me alçar a um patamar acima, a uma nova e melhor versão minha. Talvez, assim, eu não queira mais somente me **curar**, talvez o que eu realmente queira para mim seja EVOLUIR.

Ciranda, cirandinha

"Doutor, eu estou me sentindo em um jogo de empurra-empurra: o clínico me manda para o ortopedista, o ortopedista me manda para o vascular, o vascular me manda para o reumato, o reumato me manda para o neuro..." Não é raro ouvir esse tipo de situação experimentada por várias pessoas às voltas com o sistema médico.

Intimamente eu penso: "Tomara que eu seja então o *penúltimo* nesse jogo de empurra". E por que o penúltimo? Porque talvez o último (e principal) recurso esteja dentro da própria pessoa. Nessa ciranda do "jogo de empurra", a pergunta que fica é: **e quem vai empurrar o paciente para dentro dele mesmo**? Quem ousa explicar que não existem ferramentas médicas milagrosas sem a coparticipação e a corresponsabilização ATIVA do paciente junto à sua própria saúde?

Acertar o compasso

"E se as pessoas que passam nesta clínica não quiserem ser transformadas? Se quiserem apenas um *check-upzinho* ou um remedinho?" Eu pesquei esta frase de uma reunião médica administrativa da qual participei.

Confesso que ainda erro muito a mão com meus pacientes. Se antes eu procurava ater-me apenas a questões de natureza técnica e protocolares estritas, hoje acho que, em muitas situações, talvez eu acabe exagerando em me aprofundar demais na história pessoal (e naturalmente, na intimidade) dos pacientes. Talvez isso ocorra motivado por um ímpeto pessoal meu de ter descoberto que existe sempre uma pessoa por trás do exame e da doença. Passei anos e anos da minha prática médica profissional tratando apenas tumores, aneurismas, hérnias, tomografias e ressonâncias, sem me preocupar tanto com quem era a pessoa que estava por trás do sintoma, do exame e da doença. Ao perceber que passei anos a fio escondido atrás dos protocolos clínicos e cirúrgicos e da abordagem técnica exclusiva, senti uma enorme necessidade de explorar aspectos humanos e imateriais que não costumava explorar anteriormente junto aos meus pacientes.

O problema é que eu quis (por instinto, talvez) "tirar um atraso" de 15 anos em 15 dias. Um efeito que eu compararia com uma paixão de adolescente que descobriu um novo mundo completamente inédito e excitante. Ainda careço, de fato, calibrar melhor a abordagem e afinar o tom. Hora para uma nova etapa de desenvolvimento profissional e pessoal: aquele momento crítico de transformar paixão em amor, intensidade em consistência, novidade em criatividade e liberdade em prosperidade.

Antes de curar alguém, pergunta-lhe se está disposto a desistir das coisas que o fizeram adoecer.
Hipócrates, o "pai" da medicina

Carteiro

Em muitos contextos, a doença poderia ser comparada a um carteiro. Face a uma doença, há duas posturas comuns: luta ou fuga. Não é incomum ignorarmos uma doença, imaginando que ela suma sozinha assim como apareceu. E também não é incomum tentarmos lutar ferozmente contra ela, imaginando que ela não seja produto nosso. Repare, contudo, que essas duas atitudes seriam como fugir correndo de um carteiro que traz uma carta de conteúdo ruim ou mesmo tentar espancá-lo porque traz boletos impagáveis.

Ao migrar de um paradigma de interpretação da doença como "inimiga" (carta-bomba) para um de enfermidade vista como "mensageira" (carteiro), podemos passar a ter percepções e posturas bastante mais produtivas. Nesse segundo modelo (doença como mensageira), não cabe fugir ou apenas debelar a doença. Torna-se imprescindível tentar avaliar a mensagem (muitas vezes oculta e de difícil interpretação) por trás da doença. Qual oportunidade de evolução pessoal estaria atrás dela? Como eu poderia tirar o melhor proveito para desenvolvimento humano com a minha enfermidade? O que ocorreu lá atrás em minha vida para eu receber essa "carta triste" agora? Como cheguei ao ponto de receber esse "boleto impagável" agora?

INTERLÚDIO

Carta aberta a mim mesmo

Vai, corre, vá explorar o mundo! Aprenda tanto quanto puder. Veja por si mesmo que conhecimento só não basta.

Vai, corre, vá escalar os degraus sociais! Aproveite os prazeres e os luxos materiais. Sinta por si mesmo que o dinheiro é medíocre.

Vai, corre, suba a escada acadêmica! Conquiste seus títulos. Observe o quanto o poder te distancia do amor.

Vai, corre, coma tudo! Entorpeça-se na gula. Descubra com seus próprios olhos que comida nenhuma preenche a tua alma.

Vai, corre, vá atrás de fama e de reconhecimento alheio! Amolde a sua vida conforme as expectativas dos outros. Conclua por você mesmo que a sua felicidade não está lá fora.

Vai, corre, apresse-se para alcançar seus objetivos! Planeje grande e planeje alto. Aprenda que o futuro é uma prisão.

Quando cansar, volte, pare, silencie, pacifique... Volte a si mesmo... Pare de procurar o que nunca esteve fora de ti. Silencie o ruído confuso ao seu redor. Faça as pazes consigo. Sinta o esplendor de ser apenas você mesmo. Agora estará livre, feliz e pronto para viver a plenitude da sua essência. Agora saberá entregar ao mundo a sua felicidade sob a forma de amor.

Oração

Que eu não me esqueça que meus infortúnios não são culpa de ninguém, pois se ainda os enxergo como infortúnios é porque ainda não enxerguei a oportunidade de crescimento que se esconde por trás deles.

Que não me falte clareza para perceber que as pessoas à minha volta são tão importantes quanto eu. Que eu possa me posicionar ao lado, nem acima e nem abaixo delas.

Que eu nunca hesite em sempre perdoar quem me causa dano. Trata-se somente de uma alma que sofre.

Que eu nunca deixe de apreciar a liberdade mental. Tanto a minha quanto a dos outros.

Que eu evite buscar a felicidade onde ela jamais pode ser encontrada. Sendo feliz pela minha essência interior e pela entrega ao momento presente.

Que o amor seja o combustível da minha alma. Partindo do amor-próprio para depois compartilhá-lo com o próximo – quem quer que seja o próximo.

Que eu tenha força para transformar em bondade todo impulso negativo que me abater. Transformando cada agressão em sorriso, cada injúria em elogio, cada culpa em perdão e o medo em amor.

Que, assim como eu evito tombar pelo impacto negativo externo, eu também não me iluda em viver alimentado por forças externas positivas. Que eu não dependa de reconhecimento alheio para seguir adiante, envenenando o meu ego. Que me bastem a paz e a harmonia da minha felicidade interna, transbordando sob a forma de amor aos outros.

Que eu me recorde sempre de ser grato a todos que, por modos e intensidades diversos, impulsionam-me a mudar para melhor.

Que eu não desperdice cada incômodo para evoluir, cada ocasião para ajudar alguém, cada palavra para imprimir positividade e cada segundo de vida para ser pleno.

OCULTO NÃO É SINÔNIMO DE INEXISTENTE

O Criador disse:

— Quero esconder uma coisa dos humanos até que estejam prontos para conhecê-la: saber que podem criar a própria realidade.

A águia disse:

— Deixe comigo. Levarei até a Lua.

O Criador disse:

— Não. Um dia eles irão até lá e descobrirão.

O salmão disse:

— Esconderei no fundo do mar.

O Criador disse:

— Não, eles chegarão lá também.

O búfalo disse:

— Esconderei nas Grandes Planícies.

O Criador disse:

— Eles cortarão a pele da terra e a encontrarão.

A avó que habita o seio da Mãe Terra e que não tem olhos físicos, mas vê com olhos espirituais, disse:

— Coloque dentro deles.

E o Criador disse:

— Está feito.

História da criação do povo hopi, Arizona

Todas as nossas decisões, desde a escolha do que vestir ou comer, passando pelo que assistir, até a opção de casar ou não e com quem, ou mesmo qual profissão seguir e a possibilidade de ter ou não filhos, carregam as mãos pesadas de muitas instâncias além da nossa percepção consciente rotineira. Tendemos a supor que muitas de nossas escolhas são naturalmente racionais, lógicas e eminentemente livres. Não é bem esse o caso. Muitas mãos pesadas ocultas participam das nossas decisões no cotidiano, às vezes sem que notemos isso. Essas mãos pesadas representam uma série de condicionantes invisíveis que fecham sobremaneira nosso aparentemente extenso leque de opções: as circunstâncias imediatas, nossa cultura local, nossa carga genética, nossos paradigmas de pensamento, nossa religião, nossos moldes mentais inconscientes, nosso sistema de crenças, nossa personalidade, nosso convívio social e talvez mais uma dezena de outras influências. Você e eu estamos, no dia a dia, mental e habitualmente acostumados a nos identificar *a priori* somente com a parte consciente do nosso processamento cerebral, mas esta é apenas uma pequena parte do todo. Existe um vasto universo cerebral submerso sob a pequena casca superficial da consciência verbal-racional-intelectual. Tendemos a confundir essa casquinha com a totalidade da nossa identidade. Porém, nem a totalidade da nossa identidade nem o "painel de controle" da nossa vida moram apenas na casquinha superficial do nosso processamento mental consciente. Aqui entra então o 4º (e último) pilar neurocientífico ao qual eu gostaria de fazer menção.

Os pioneiros da psicologia moderna, como Sigmund Freud e Carl Gustav Jung, postularam a existência de um grande motor mental subconsciente com forte comando e influência sobre as nossas vidas. Os estudos contemporâneos em neurociência de ponta cada vez mais colaboram para ratificar e confirmar a existência desse gigante oculto habitando o interior do nosso cérebro. Daniel Kahneman foi laureado, no início dos anos 2000, com o prêmio Nobel exatamente por demonstrar com dados científicos a existência de dois tipos de operação cerebral distintas: a consciente e a inconsciente. A neurociência tem, assim, nos ajudado a compreender mais e mais qual é a função relativa, como operam e qual é a influência de cada um desses dois tipos muito diferentes de processamento mental que coexistem em nosso cérebro.

Por mais estranho que possa parecer, a imensa maioria das decisões que tomamos e a quase totalidade das opções que escolhemos rotineiramente não são tomadas por nossa mente consciente, mas sim por nossa mente inconsciente. É esta última que filtra e catalisa todas aquelas "mãos pesadas ocultas" para a tomada final de decisão. Quando nos conscientizamos a respeito de uma decisão tomada, essa escolha já fora feita antes por nossa mente inconsciente, algo que ocorre numa fração de segundo (isto hoje é cientificamente medido numa escala de milissegundos). O fluxo real que ocorre no nosso cérebro é o seguinte: o plano inconsciente decide o que fazer, e somente depois nosso plano consciente é informado da decisão. A partir daí, racionalizamos a respeito do assunto, enumerando razões plausíveis para justificar UMA DECISÃO JÁ TOMADA POR NOSSO INCONSCIENTE. Isso acontece porque o cérebro precisa, a todo instante, tomar decisões ultrarrápidas e com baixo consumo de energia. Foi dessa forma que o nosso cérebro foi formado evolutivamente. A nossa mente consciente é demasiado lenta e consome, em comparação, muito mais energia do que a mente inconsciente.

Sabemos hoje que o processamento mental inconsciente ocupa de 95% a 98% de todos os disparos dos circuitos neurais do cérebro humano desperto (e obviamente 100% quando dormimos). Trata-se de um sistema de alta eficiência energética, pois consegue realizar uma ampla gama de operações neurais simultâneas, de forma bastante rápida e com relativo baixo consumo proporcional de energia. O contrário disso é verdade para a nossa mente racional-verbal-consciente: ocupa apenas 2% a 5% dos circuitos neurais do cérebro acordado, tem uma operação de relativamente baixa eficiência energética, consumindo bastante glicose para realizar poucas operações mentais e ainda de forma meio lenta. Ao que parece, custa muito caro, em termos de evolução filogenética para a espécie humana, dar-se ao luxo de ser um animal autoconsciente.

Desse modo, o cérebro prioriza fundamentalmente a operação mental inconsciente para nos manter vivos. Imagine você se, para ir agora ao banheiro, precisasse tomar consciência de todas as inúmeras operações que o seu corpo necessita realizar para chegar até lá: endireitar a coluna vertebral contraindo cada um dos músculos paravertebrais, apoiar um dos calcanhares no chão, ajustar a pressão arterial e o batimento cardíaco, fletir o joelho, pendular braços e mãos etc. Cansa só de tentar enumerar as infindáveis etapas fundamentais para conseguir fazer uma coisa "tão simples". Seria literalmente insano dedicarmos a nossa mente consciente para tudo que fazemos. E não só insano, não conseguiríamos sobreviver! Ou não teríamos estoque suficiente de energia para processar com consciência toda essa gama absurda de informações (lembre-se da "ineficiência energética" do sistema mental consciente) ou, pelo tempo prolongado que levaria para processar tudo isso, poderíamos ser muito bem devorados por um leão no meio do caminho ou a nossa bexiga urinária explodiria.

Parece um pouco assustador compreender que seja a parte inconsciente do cérebro que "decide por nós", né? Dá a impressão de que não temos o controle de nossa própria vida, de nossas próprias escolhas. Soa como se fôssemos dirigidos por alguém estranho a nós mesmos, mas que habita o nosso próprio cérebro! Mas, por mais inacreditável que possa parecer, já existe um extenso corpo de literatura científica que apoia precisamente esse conceito.

Isto é crucial que você entenda. O nosso cérebro inconsciente é formatado biologicamente por redes de neurônios influenciadas por nossa carga genética e modulado intelectualmente pelos valores culturais, sociais, educacionais, morais, familiares e religiosos, absorvendo-os ao longo de nossa vida. E, atenção, grande parte do que é absorvido por ele passa longe de nossa mente consciente, sem qualquer filtro de atenção para o que é posto dentro de nossa mente inconsciente. Desse modo, aprendemos e absorvemos uma enorme gama de informações, conceitos e valores de forma totalmente inconsciente.

Assim, existe um vasto mundo inconsciente, habitando dentro de nosso próprio cérebro, que não apenas aprende, mas também age e toma decisões o tempo todo, de forma totalmente autônoma e independente de nossa mente consciente. Na maior parte do tempo, nossa mente consciente apenas chancela as escolhas feitas por nosso cérebro inconsciente com interpretações racionais para dar algum sentido lógico-racional ao que estamos fazendo sem perceber guiados por ele.

Nosso cérebro inconsciente é um ótimo piloto automático, em constante interpretação e ação veloz, objetiva, à sua maneira, sobre o nosso modo de agir. Mas o cérebro inconsciente tem sérias limitações, pois evoluiu filogeneticamente para maximizar o prazer e minimizar o sofrimento da maneira mais rápida e ao menor custo possível. O cérebro inconsciente não é muito bom em medir consequências de longo prazo. Ele está muito mais preocupado com a nossa sobrevivência e com nosso bem-estar imediato. É possível passarmos uma vida inteira apenas no piloto automático, sendo teleguiados inteiramente por nosso subconsciente, apenas habitando como meros espectadores passivos de nossa própria vida, mesmo dividindo o mesmo palco dentro do mesmo cérebro.

Ocorre que o nosso enorme universo mental inconsciente utiliza formas de comunicação totalmente diversas do nosso pensamento tradicional conhecido e consciente. Enquanto este último jeito de pensar utiliza-se da racionalidade, da lógica dedutiva, da linguagem verbal convencional e da matemática, o outro (que ocupa majoritariamente o nosso cérebro, diga-se de passagem) não se utiliza em absoluto dessa mesma forma de comunicação. No lugar, usa instrumentos comunicativos como a emoção, o sentimento, o corpo, os símbolos, os sonhos e os pesadelos para se expressar. É mais ou menos como se fosse um "chinês" que só fala mandarim arcaico habitando dentro de nós mesmos.

Esse mundo subterrâneo dentro de nós mesmos serve como um poderoso "aspirador de traumas" que nos afligem durante toda a vida. Os acontecimentos negativos e trágicos vão meio que sendo varridos para debaixo desse enorme tapete dentro de nós. Trata-se de um poderoso mecanismo de "tocar a vida adiante" sem que pifássemos ou ficássemos paralisados e "bugados" diante dos diversos eventos negativos que nos assolam ao longo da vida. Acontece que o "chinês" que mora debaixo desse tapete não é um buraco negro que simplesmente desaparece com tudo isso. Aquelas experiências e cargas negativas mais significativas, em especial as ocorridas desde o útero materno até a fase de adolescência, acabam por vazar por algum lado ao longo do tempo. Então, aqueles eventos desagradáveis cotidianos com que deparamos na rotina do dia a dia servem muito mais como um mero **gatilho** ou **fagulha** que nos remete lááááá atrás no passado e, inconscientemente, desperta o "chinês" interno para nos fazer lembrar daquela carga negativa íntima que carregamos há muito tempo (famoso período de construção cerebral que tantas vezes mencionei ao longo do livro). Esses eventos rotineiros incômodos contemporâneos com que deparamos seriam, assim, muito menos as causas raízes reais e muito mais **avisos para retomarmos aquelas pedras negativas que carregamos há muito tempo no nosso íntimo**. E atente que, muitas vezes, nem sequer conseguimos identificar com precisão quais são esses gatilhos na nossa rotina que nos remetem a essas "pedras". Às vezes, pode ser um semblante parecido de um rosto, ou às vezes um excerto de uma música, um timbre de voz, uma imagem numa revista ou mesmo um trecho de um vídeo. Por vezes, basta algo bem sutil e imperceptível ao nosso pensamento consciente para que o "chinês" raspe as nossas pedras guardadas há muito tempo debaixo do tapete.

Então cá estamos nós sofrendo por algo cuja causa raiz principal ignoramos ou porque confundimos os gatilhos circunstanciais superficiais (trânsito, crise, discussões etc.) como se fossem as causas profundas principais. Caso sejamos bem-sucedidos em superar essa etapa de relativa "cegueira" ou "confusão" inicial, podemos partir para a identificação das "cargas e pedras" negativas que o "chinês" fica toda hora tentando nos mostrar. Mas lembre-se de que ele jamais vai conseguir comunicar isso pela linguagem verbal convencional ou por lógica cartesiana racional dedutiva. Ele usa a forma que conhece para avisar: sentimento, sonho, emoção, sintoma, pesadelo, corpo, símbolos etc.

Somente quando entendemos como as coisas se processam dentro da nossa cabeça é que podemos começar, passo a passo, a tomar as rédeas de nossa própria vida. Este é, sem dúvida alguma, o maior desafio que temos no sentido de passarmos a ser protagonistas dentro de nosso cérebro. A nossa mente consciente pode, apesar de sua relativa lentidão e ineficiência energética, passar a ser o maestro e não apenas um mero espectador de luxo dentro da orquestra de nosso cérebro. A grande vantagem é que nossa mente consciente pode, aos poucos, passar a ensinar e a doutrinar nosso piloto automático a seguir caminhos e valores que realmente tragam significado para nossa própria vida.

Linguagem do inconsciente: da comunicação anárquica ao diálogo possível

A nossa mente inconsciente não se expressa da mesma maneira que a mente racional-consciente. Cada uma tem seus próprios canais de comunicação e interação, muito diferentes uns dos outros, por sinal.

Estamos normalmente mais habituados no cotidiano à nossa mente racional-consciente-intelectual, que se expressa através de linguagem verbal, lógica dedutiva, racionalidade cartesiana, matemática, abstrações e argumentos. Essa é a que estou utilizando para tentar escrever este texto e a que você está utilizando para lê-lo.

Oculto por trás dessa mente, existe o pensamento subconsciente. Já comparei, anteriormente, essa força oculta a um "chinês" que fala mandarim arcaico. Também já mencionei que, a rigor, é essa força oculta que sedia os principais motores da nossa vida: crenças, valores, mitos, nortes e programas mentais nucleares arraigados nos pontos mais profundos. A mente inconsciente, entretanto, comunica-se por sinais completamente distintos. Em geral, expressa-se por emoções, sentimentos, linguagem não verbal, sonhos, pesadelos, corpo, símbolos e também, por vezes através de sintomas e doenças físicas.

Assim, tentar dialogar racionalmente com nosso inconsciente é mais ou menos como tentar explicar Schopenhauer ou Física Quântica a uma criança de 5 anos do mesmo modo que para um adulto. Pode ser uma atitude louvável, mas virtualmente impossível. Tal diálogo, com vistas à reprogramação mental do inconsciente, será mais eficaz quando conseguirmos utilizar uma linguagem inteligível para o subconsciente: símbolos, metáforas e imagens concretas, cenas visualmente palpáveis, rituais, narrativas, ícones, mitos adaptados à realidade individual etc. Desse modo, podemos, sim, tentar passar conceitos complexos e difíceis como Schopenhauer ou Física Quântica ou qualquer outro para aquela criança, desde que adaptemos a linguagem abstrata e racional para uma linguagem que a criança (o inconsciente) compreenda com facilidade: talvez através de desenhos, historinhas, bonequinhos... Assim, um importante conceito transformador pode sensibilizar a criança (o inconsciente), desde que o abismo seja devidamente transposto e os idiomas tão diferentes de um lado e de outro sejam devidamente traduzidos para a compreensão mútua. Há de se arrumar um jeito eficaz de comunicar ao "chinês" o que se quer.

Hipnose infantil

Você já foi hipnotizado? Quando crianças, já nascemos praticamente com o pensamento inconsciente automático pronto. Mamamos, choramos, sorrimos, engatinhamos, andamos e até começamos a falar, tudo mediado pelo pensamento inconsciente automático. Só bem mais crescidinhos é que começamos a desenvolver o pensamento racional crítico voluntário. Mas não nos iludamos: é ampla a base de comprovações neurocientíficas apontando que, durante toda a vida, nosso cérebro estará prioritariamente dedicado ao pensamento inconsciente automático, "que já vem pronto" do útero materno. Esse pensamento inconsciente automático "inato" quase não tem filtros nem críticas. Ele simplesmente aceita o que recebe como verdade e normalidade, então passa a desenvolver os comportamentos compatíveis com essas "verdades" e "normalidades" aprendidas durante nossos primeiros anos de vida.

Uma pausa aqui para reflexão: involuntário, sem filtros, todos os primeiros anos de vida... Percebeu a importância desse ponto? Não? Então releia com bastante atenção desde o começo. Sim? Então vamos continuar.

Se eu cresço em um ambiente em que a comida é o centro do Universo, possivelmente tenderei a hipervalorizar a alimentação. Se eu cresço em um ambiente em que a competição é estimulada e apreciada, possivelmente vou preferir competir a cooperar. Se eu cresço em um ambiente em que se acredita que a raiz do sofrimento seja a privação de dinheiro, possivelmente tenderei a me importar sobremaneira em como ganhar muito dinheiro.

São variados os tipos de programações mentais a que somos submetidos quando crianças. E note bem que justamente esses ícones mentais do início de nossa vida, que entram sem filtros na nossa cabecinha, são os que ficam mais entranhados em nosso cérebro. É por esse motivo que, por mais que nosso pensamento racional (que se forma muitos anos mais tarde) disponha de inúmeros argumentos racionais lógicos, ele dificilmente consegue impedir um comportamento compulsivo para atender a um programa mental inconsciente enraizado na infância. Em outras palavras, eu continuo comendo como louco (para atender o programa pueril), mesmo tendo mil razões objetivas (obesidade, estética, colesterol, diabetes, relacionamentos, autoestima, condicionamento físico etc.) para não fazer isso. O fato é que nosso comportamento obedece ao comando mental superior na hierarquia, e não ao argumento mais consistente racionalmente.

O que é hipnose? Grosso modo, significa desviar a atenção da mente crítica racional para conseguir implantar comandos mentais diretamente no inconsciente. Voltando, então, à primeira pergunta que eu te fiz: a resposta é *sim*. Todos nós já fomos "hipnotizados". A maioria dos nossos programas mentais absorvidos e estabelecidos durante nossos primeiros anos de vida é nada mais do que um grande "processo de hipnose", pois acontece justamente durante a completa imaturidade do nosso pensamento crítico racional ainda não formado. Chocante isso, não é?

Reizinho na cabeça

Antes, afirmei como somos programados e doutrinados mentalmente durante a infância. Acontece com todos nós, sem distinção. Carregamos, pois, aquela criança dentro de nós mesmos. Sem qualquer escolha consciente. Sem qualquer opção voluntária. Sem sequer sabermos por quê.

Imagine a seguinte cena: "você adulto" com o "você criança" sentado confortavelmente na sua cabeça, puxando seus cabelos como se fossem alavancas, botões e comandos que dirigem o comportamento do "você adulto". Todos aqueles comportamentos sistemáticos e algo incompreensíveis, que mantemos sem nem saber direito o porquê, talvez ocorram em função dessa criança sentada sobre a sua cabeça. Talvez nossas atitudes compulsivas autodestrutivas e autossabotadoras estejam, de fato, sob o comando dessa criança que carregamos conosco sem nem ter ideia de que ela está lá, firme e forte, no painel de controle real.

Se o controle dos meus botõezinhos mais importantes está nas mãos da minha criança que ainda carrego, e não ao meu alcance, o que fazer, então?! Suponho que o primeiro passo seja justamente este: entender que essa criança **ainda vive** dentro de mim e é ela, de fato, quem controla vários aspectos cruciais da minha vida. Sem esse primeiro passo, torna-se mais complicada a tarefa de assumir as rédeas.

E como **gentilmente** descarregar essa criança de nós mesmos?! Crianças podem ser algo capciosas e ariscas para lidar… Primeiro, há de se querer tomar pulso de um leme nunca manipulado pelo "eu adulto" para navegar por mares desconhecidos. Obviamente não se deve "matar" ou "afugentar" tal criança interior, mas sim colocá-la para brincar segura nos *playgrounds* mentais, deixando-a aflorar de vez em quando com suas características positivas de jovialidade, energia, confiança e amor. Porém, idealmente, deveria o "eu adulto" assumir o posto de protagonista no painel de controle central, um passo crucial rumo ao nosso amadurecimento pessoal. Esse caminho só pode ser feito caminhando. Cada um à sua maneira.

Locutor

Na maior parte do tempo, nossa mente racional-consciente comporta-se como um narrador esportivo. Ela fica ali apenas descrevendo e contando a história de nossa vida desenrolando-se no campo. Mas quem participa mesmo do jogo em campo não é o pensamento consciente locutor, que assiste aos acontecimentos à distância. Quem atua realmente definindo as jogadas em campo é a nossa mente inconsciente.

Enquanto o locutor ficar lá com os fundilhos pregados na confortável cadeira estofada de couro na salinha com ar-condicionado apenas narrando, descrevendo e comentando o jogo, a vida vai seguir seu curso sem que se possa mudar nada. A mente racional-consciente vai creditar o fiasco, o sofrimento e os infortúnios ao "destino", ao "azar", ao "não tinha outro jeito" etc.

Mas é possível que talvez, num belo dia, ao perceber como é claustrofóbica a sensação de ser apenas um mero observador passivo do jogo da própria vida, esse narrador resolva "dar uma de louco", sair do seu papel tradicional, ir até o meio de campo para "melar" o jogo e tomar parte ativa dos acontecimentos. Talvez sentando em cima da bola. Talvez correndo sem camisa pelo gramado. Talvez conversando com o árbitro ou os capitães das equipes. Independentemente da ação, o resultado é que a partida jamais será a mesma. Sim, ele será chamado de insano e doido e também será criticado. Sim, ele temerá pelo futuro da carreira e pelo que os outros vão pensar. Sim, a mente consciente-narradora voltará para o seu papel de locutor, mas terá aprendido uma lição inestimável: que pode, sempre que quiser, interferir no próprio destino. Terá provado o elixir do livre-arbítrio.

"Auto-hipnose consciente"

Uma das ferramentas para se tentar acessar e reformatar crenças limitantes arraigadas profundamente no nosso inconsciente é através da hipnose. Na hipnose tradicional, isso é feito em tese a partir de uma outra pessoa (o hipnólogo). Mas talvez seja possível usar técnicas da hipnose clássica para atingir o mesmo objetivo sem que se delegue o acesso e a reprogramação do nosso próprio inconsciente a outra pessoa.

Aqui, então, proponho o desenvolvimento de um conceito de "auto-hipnose consciente". Um nome um tanto contraditório e algo paradoxal, reconheço. Mas é o termo que me veio à mente para tentar expressar essa ideia: eu mesmo me "hipnotizo" de forma voluntária e acordado, sem que precise ter minha intimidade mental "invadida" por outra pessoa. Essa ideia surge a partir da minha experiência pessoal com emagrecimento e cura da obesidade (está lembrado da história do processo de desperdiçar metade da comida?).

A lógica por trás desse conceito fundamenta-se na utilização da linguagem própria e única do inconsciente pessoal de cada um para que se proceda, de forma autônoma e voluntária, à reprogramação dos nossos moldes mentais constritos. Isso pode ser feito através da escrita de cartas que depois serão queimadas, de um desenho por dia, de textos, de bonecos, de desperdícios visuais etc. O importante, nesse processo, é que a história única, singular e pessoal do indivíduo possa ser "reconstruída", voluntariamente, com sinais inteligíveis ao inconsciente, onde fica o "painel de controle" de nossa vida.

Rituais

Tentar reformatar o cérebro inconsciente através de razão, lógica, argumentos, força de vontade ou conceitos abstratos parece uma tarefa fadada ao fracasso, como já vimos. Se fosse possível transformar profundamente a vida de alguém usando argumentos racionais e lógicos, bastaria chegar para o fumante explicando que cigarro faz mal e blá-blá-blá, e toda a indústria tabagista decretaria falência da noite para o dia. Não é tão simples assim. Não funcionamos apenas baseados em um paradigma mental racional-cartesiano-matemático.

Nosso pensamento inconsciente funciona mais ou menos como uma criança de 4 ou 5 anos. Se quisermos algo produtivo, será necessário estabelecer uma comunicação efetiva com essa esfera infantil-inconsciente.

Um mecanismo que funcionou comigo foi o de *ritual*. Isso mesmo, um ritual. Um ritual pessoal compatível com minha história, passível de ser repetido constantemente. Um ritual com um símbolo concreto visual claro e objetivo, que remeta a uma ideia oposta àquela que se deseja desprogramar da mente subconsciente.

Supõe-se que alguém com capacidade intelectual para executar cirurgias cerebrais saiba contar calorias e que também tenha plena consciência, ao menos em um nível racional-objetivo, de que, para ser gordo, há que se ingerir mais calorias do que se gasta. O diacho é que não somos apenas a parte racional-consciente da nossa mente. Tem todos aqueles outros 95% a 98% de mãos pesadas invisíveis aumentando a ingestão e diminuindo o gasto calórico, completamente à revelia do que a mente consciente gostaria que fosse.

Aí é que está a beleza de um mecanismo como um ritual: ele não dialoga apenas com os 2% do nosso paradigma racional, mas também tem chance de reformatar o nosso TODO.

O PODER DO SUTIL

*Mas eu desconfio que a única pessoa livre,
realmente livre, é a que não tem medo do ridículo.*
Luís Fernando Veríssimo

Uma das curiosidades mais frequentes que as pessoas têm em relação às minhas mudanças pessoais, físicas e mentais refere-se ao impacto sobre minha família (esposa e filhos) e como foi a reação deles ao que se passou (e ainda se passa) comigo. Acho que, no fundo, elas querem saber algo do tipo: "OK, parecem até interessantes essas mudanças todas pelas quais ele passou, mas, se por hipótese, eu me aventurasse por grandes transformações, o que será que aconteceria com as pessoas de convívio imediato mais próximas e importantes para mim?". Suponho que este seja o principal motivador para esse tipo de indagação: "O que os outros vão pensar se eu revolucionar quem estou acostumado a ser?".

Obviamente não tenho como responder o que aconteceria com quem o rodeia se você mudar profundamente, mas posso ilustrar o que aconteceu no meu caso em particular. Antes, porém, de mostrar a minha interpretação de como eles reagiram ao meu "novo eu", convém retroceder um pouco no tempo e examinar em primeiro lugar como minha esposa e os meus filhos influenciaram, eles mesmos, as minhas mudanças.

Antes de conhecer a minha esposa, Jane, eu tive algumas namoradas. Meus pais costumavam perguntar, no começo de cada namoro, se eu considerava a menina inteligente. A resposta que eu dava invariavelmente era: "inteligência basta a minha!". Não imagino o que se passava na cabeça deles ao ouvir uma resposta grotesca dessas. Não sei se sentiam pena, esperança, confusão ou piedade... vai saber. Qualquer dia desses talvez eu pergunte a eles sobre isso. Apesar de ser uma resposta completamente estapafúrdia para quem busca um relacionamento afetivo saudável, tratava-se de um tipo de pensar absolutamente em linha com aquela minha *persona* antiga devotada ao egocentrismo narcísico (um dos meus antigos três deuses de estimação, lembra-se?).

Conheci Jane por intermédio de amigos comuns. Eu, gordo; ela, magra. Eu de família de classe média paulistana; ela de família com bem menos posses da periferia de Diadema. Eu com amplos conhecimentos intelectuais e técnicos, mas com uma sabedoria que não preencheria meio pires pequeno; ela sem tantos conhecimentos intelectuais, mas com uma sabedoria (um conceito irrelevante para mim à época) extraordinária. Ela era a namorada que menos "pegava no meu pé" de todas as que tive. Considero hoje que deve ter sido esta exata característica que mais pesou na minha decisão de casar com ela. Afinal, seria fundamental ter alguém que me desse espaço e liberdade para seguir qualquer um dos projetos megalomaníacos juvenis que eu tinha ou viesse a ter.

Como manda o figurino social para ficar bem na fita, casei com Jane, mas sem festa, sem cerimônia, sem igreja e com pacto antenupcial de separação total de bens. Casar para atender a protocolos sociais, tudo bem, mas daí a "desperdiçar" dinheiro com festas e não proteger o meu patrimônio em caso de eventual divórcio já seria demais (um sacrilégio contra o meu deus ganância financeira da época). Casamos e tivemos dois filhos. Não tínhamos muitos amigos em comum no início do casamento, primeiro porque eu mesmo quase não os tinha, e os amigos de Jane moravam todos distante (na região do ABCD paulista). Nossa vida social resumia-se a algumas visitas esporádicas às casas de nossos respectivos pais, as quais eu me abstinha de cumprir sempre que possível, preferindo minha dedicação ao trabalho. Eventos e interações sociais em geral eram coisas desagradáveis para mim naquela época. Meu apoio em casa naqueles idos resumia-se a bancar as contas e despesas do lar. Para se ter uma ideia da minha baixa preocupação com assuntos "de casa", conheci o obstetra da minha filha (a primeira gravidez de Jane) apenas na última consulta do pré-natal. Os primeiros anos dos meus filhos ficaram praticamente apenas por conta da mãe; eu era mais uma presença decorativa esporádica e bancadora de contas. A ideia de ter filhos, sob o meu ponto de vista da época, acredito que tenha ocorrido muito mais em função da pressão cultural de constituir uma "família margarina" do que por um profundo desejo de ser pai. Mesmo com todo esse cenário, eu e Jane não costumávamos brigar. Acho que as razões principais para que não brigássemos muito eram que, primeiramente, eu não era muito presente em casa (nem fazia a menor questão de sê-lo); em segundo, quando interagíamos, a maioria das conversas era meio superficial e protocolar; e, por último, Jane sempre foi uma pessoa extremamente pacífica.

No começo, mais do que estar casado com uma pessoa, eu estava mesmo era casado com o meu próprio sistema de crenças. Durante o início do nosso casamento, havia um comportamento da minha esposa que me irritava profundamente: a forma como ela lidava com os problemas. Eu considerava, na época, que ela era muito "passiva" e "lerda" para resolver qualquer coisa. Isso era uma fonte de grande irritação para mim. Naquele contexto, costumava interpelá-la de forma constante: "Já ligou para o marceneiro?", "E os orçamentos do interfone, não chegaram ainda?", "Você ainda não marcou a revisão do carro?" etc.

Ah, como era cômodo despejar minhas frustrações nos outros! Somos facilmente iludidos pelo viés do "eu estou sempre certo e o outro, sempre errado". Fica nítido para mim hoje que, se a minha postura se mantivesse irredutível em relação à minha percepção que tinha sobre a minha esposa, caminharíamos em lados diferentes da "trincheira", desviando-nos cada vez mais para longe um do outro e com o casamento fatalmente direcionado ao fracasso.

Por motivos que ainda não compreendo por completo, parei de tentar mudar minha esposa e eu mesmo mudei. Comecei a enxergar SERENIDA-

DE onde antes eu só via "passividade" e passei a enxergar PAZ onde antes eu só via "lentidão". Enxergar o bom no outro não é necessariamente uma "utopia à Pollyanna", é muito mais uma questão de SAÚDE MENTAL. Não apenas comecei a ter um vislumbre positivo dela, como também comecei a enxergar a minha própria maldade. O que eu costumava embalar como minha própria "competência e agilidade", embrulhava junto minha arrogância, meu autoritarismo e minha ansiedade exacerbada e desnecessária.

Nesses estágios iniciais do nosso casamento, eu tinha um olhar completamente unilateral e distorcido: eu a considerava muito devagar para tudo. Mas e eu? Olhava para mim mesmo nesse mesmo aspecto? Não. Simplesmente não enxergava meus próprios defeitos. "O problema era só o jeito dela", "Eu não precisava mudar nada!" Óbvio que eu estava redondamente enganado. Eu era, no fundo, o bobo da história. A verdadeira fonte de sabedoria era ela. O casamento teria se arruinado se eu não mudasse. EXAMINAR E TRANSFORMAR com honestidade os nossos próprios podres não é sinal de fracasso, é uma questão de SOBREVIVÊNCIA EMOCIONAL.

Posso dizer que fui esplendidamente abençoado por ter Jane como minha companheira. Ela nunca apontou o dedo, levantou a voz para me criticar ou me pediu para mudar. Nunca soltou nenhum tipo de ironia ou indireta a respeito da minha obesidade. Nunca contestou o meu autoritarismo. Ela simplesmente estava lá ao meu lado, "apenas" sendo quem ela era. Seu exemplo inspirador foi, sem sombra de dúvida, um dos maiores motores invisíveis e sutis para a minha evolução pessoal.

Além da minha esposa, eu também iniciei com uns "três pés esquerdos" a minha relação com meus próprios filhos, a começar pelos motivos pouco nobres pelos quais decidi tê-los. Atualmente imagino que o impulso inicial que me levou a ser pai tenha sido poder cumprir uma "etapa necessária" de vida, um item a mais no *checklist* das coisas que eu supunha que o mundo esperava de mim. Quando pequenos, talvez meus filhos se prestassem à função de bibelôs, ornando meu protótipo de vida exemplar, e, quando adultos, quem sabe eles não pudessem vir a ser meus cuidadores e ajudantes durante a minha velhice? Antes, eu posso dizer que talvez não amasse de verdade os meus filhos, queria mais era ter poder de controle sobre o destino deles. Eu tinha grandes preocupações iniciais sobre qual seria o meu impacto como pai ou até quais seriam as influências de escolas, cursos e educação nos meus filhos. Já me preocupei muito intimamente com quais poderiam vir a ser as profissões, as personalidades, as orientações sexuais, os times de futebol, se eles iriam ou não gostar do pai e diversas outras características envolvendo os dois.

Mas, com minhas metamorfoses e evoluções, hoje compreendo que com, sem ou apesar de todas as minhas fantasias, expectativas e preocupações em relação a eles, suas vidas, de uma forma ou de outra, seguirão os caminhos que tiverem que seguir. Descobri que criação de filhos não se trata de uma via unidirecional que emana dos pais e amolda os filhos. Trata-se de uma via de mão dupla: eu aprendo tanto (ou até mais) com eles quanto o contrário. O impacto dos meus filhos, com o passar dos anos, foi enorme em mim. Com eles, eu "desaprendi" a ter tanta pressa e aprendi melhor o significado de palavras como "legado", "cooperação" e "impotência". Meus filhos me ajudaram a ter cada vez menos tantas certezas de tudo. Com eles, eu comecei a descobrir a mágica do agora, da entrega plena ao momento presente. Meus filhos me ensinaram a felicidade mágica de olhar para o caminho, e não para o final. Se a vida deles será boa ou não por minha influência ou pela influência das escolas e da educação deles, só o futuro dirá. Porém uma coisa eu posso categoricamente afirmar: com certeza eu sou um ser humano mais evoluído por INFLUÊNCIA DELES. Nesses termos, o meu maior empenho hoje em dia é muito mais do que simplesmente herança material, mas sim qual será meu LEGADO a eles. O que está ao meu alcance em relação a isso? Tornar-me, na medida do possível, uma pessoa "menos pior" a cada dia, entregando a eles a minha melhor versão, enquanto eu puder evoluir como ser humano.

Nossa vida em família atualmente é bastante diferente do que fora: compartilhamento muito maior de afazeres domésticos; presença maior do pai; conversas e cumplicidade muito mais profundas e intensas entre todos nós; frequência constante de reuniões, comemorações e amigos; uma atmosfera muito maior de paz, segurança e sensação real de "Lar". Se não nos tornamos a família margarina do *checklist*, ao menos somos a melhor família feliz que pudemos nos tornar até o momento.

Hoje me pergunto se não deveria tentar "corrigir" o passado, talvez fazendo, por exemplo, a cerimônia de celebração de união marital que não tivemos. Não sei responder a isso ainda. Trata-se de uma questão ainda em aberto. Mas agora percebo algo com clareza e nitidez: nosso casamento é uma festa diária. Todo dia aprendo e procuro evoluir com minha esposa. Muito do que sou e, em especial do que pretendo me tornar, emana dela. Mais do que um círculo simbólico de metal nos dedos ou de uma unção religiosa sobrenatural, acredito honestamente na união de almas que se ajudam, respeitam-se, amam-se e evoluem mutuamente.

A necessidade de ser aceito

Muitos chegam a lidar com este tema através de um mecanismo que alguns definem como "máscara do amor". Mais ou menos assim: "Eu amo para ser aceito. Eu não amo por amar simplesmente".

Em seu conceito mais profundo e universal, porém, amor não combina com "se". Onde houver condicionantes, não haverá amor. Amar **se** eu conseguir algo em troca não é amor, é carência disfarçada.

Esse é o veneno sutil da necessidade de reconhecimento alheio. Se o que me empurra adiante é a necessidade de preencher uma falta interna, possivelmente não irei muito longe.

Suponhamos que o estágio máximo ideal de evolução pessoal seja a irrestrita e completa entrega ao fluxo de amor *ágape* incondicional. Em outras palavras, tornarmo-nos doadores universais de amor **incondicional,** reconectados ao todo à nossa volta (algo que alguns gostam de expressar como "somos todos um").

Se admitirmos essa premissa como verdadeira, existe uma implicação necessária, então: QUE A NECESSIDADE DE ACEITAÇÃO É UM ATO DE VIOLÊNCIA. Um ato de violência contra mim mesmo porque, para ser aceito, eu devo sujeitar-me, gostando ou não, a parâmetros externos não escolhidos por mim. Viro como um bloquinho quadrado de brinquedo infantil tentando espremer-me por uma passagem redonda. Ou me torno redondo ou não passo. Mas tentar ser aceito, custe o que custar, não se resume a um ato de "autoviolência", senão também de DUPLA VIOLÊNCIA, pois tampouco deixa de ser uma violência contra os outros. Ao buscar desenfreadamente atender a expectativas alheias, eu violento também os outros ao me empurrar, eu mesmo, goela abaixo de todos para ser aceito. Um instinto como: "Se eu preenchi todos os requisitos do clube, ah, meus caros, agora vocês vão ter que me engolir!".

Mas quando isso não ocorre (ser aceito como unanimidade onde quer que eu desfile nas passarelas do mundo), e isso nunca acontecerá, convenhamos, surgem naturalmente os sentimentos inconscientes de "punir o outro", "autoflagelo", "vingança", "baixa autoestima", "desesperança" etc.

A necessidade de aceitação e busca pelo reconhecimento alheio nos surge inicialmente como mecanismo instintivo básico de sobrevivência do bebê. Se não for aceito pelos meus genitores/cuidadores, eu morro. Ocorre que esse tema deve ser transformado em alguma fase da nossa vida adulta, sob risco de ficarmos presos a essa "dupla violência" descrita acima. Se ainda carrego a imagem de uma percepção de abandono, rejeição ou distanciamento (por ínfimo que seja), dificilmente conseguirei estar livre dessa corrente em espiral negativa da necessidade (infantil) de reconhecimento alheio. Sempre vou querer passar aos outros a fatura da "conta não paga" pelos meus pais. Algo como: "Se meus pais não me amaram da forma que eu acho que deveria ter sido, vou dar um jeito de obter isso através de outras pessoas, ou mesmo do resto do mundo todo".

E aí, falando mais em termos biológicos de neuroplasticidade cerebral: isso não muda da noite para o dia. Os circuitos neuronais que sustentam esse tema (necessidade de ser aceito) podem ser quebrados (mas como são profundos e antigos, isso não é tão simples!) e refeitos com outros temas e programas mentais. Caso isso seja algo que traga incômodo, um ritual pessoal atrelado ao histórico individual de vida costuma ajudar nisso.

Amor "platônico" prático

Aprendi no colégio que o conceito de "amor platônico" possui a conotação de uma idealização utópica, perfeita e impossível em relação a um par romântico fantasiosamente imaginado. Um conceito inviável por absoluto sob o ponto de vista prático.

Ao me aprofundar um pouco, porém, observei que Platão apresenta um conceito muito mais palpável, palatável e prático para casais. Ele concebe a noção de uma relação real, prática e rotineira entre duas pessoas comuns. Uma relação concretamente possível baseada em um princípio fundamental: permitir-se ser transformado pelo cônjuge.

A ideia é a seguinte: meu par é muito melhor que eu em algumas características. Eu me inspiro nessas melhores virtudes e qualidades para evoluir, passo a passo através da convivência e aprendizado, nesses aspectos que são frágeis em mim e fortes no meu parceiro. A recíproca é a mesma: meu par inspira-se no melhor de mim para desenvolver-se. Assim, ambos poderíamos crescer individualmente dentro da relação de forma conjunta e simultânea.

Pedágio

Uma vez minha esposa viu-se desprevenida sem dinheiro para pagar um pedágio numa estrada. Ela estava para começar a preencher papéis orientados pela atendente da cabine, com a fila aumentando e as buzinas pressionando atrás, quando uma pessoa veio até ela e ofereceu-se para pagar seu pedágio. Depois do ocorrido, ela já teve a oportunidade de "retribuir" o favor para outras duas pessoas que se viram em situação similar na frente dela em pedágios em estradas.

Confesso que provavelmente eu seria um dos "buzinantes" incomodados da fila atrás, da turma dos reclamões, que pioram a própria vida exatamente porque se apegam muito mais à reclamação egoísta do que à solução solidária. Nada como a influência de indivíduos mais sábios que nós para nos inspirarmos a evoluir como pessoas.

A força do subliminar

A pessoa que mais fortemente me influenciou a evoluir não me pediu para mudar, nunca insistiu em provar que estava correta e jamais quis me impor qualquer diretriz. Ela apenas estava lá, sendo e fazendo o que é sua essência.

Dificilmente a natureza se vale de rupturas abruptas ou revolucionárias para evoluir. Como um dia afirmou Charles Darwin: "A natureza não dá saltos".

É mais fácil me proteger contra o ostensivo, o ruidoso, do que me defender do insidioso, suave e subliminar. Se a sua intenção é influenciar o mundo, talvez seja melhor ser mais brando, menos assertivo, mais lento e menos doutrinador. Por vezes, menos é mais.

Quem ensina quem?

Ontem à noite eu estava deitado na cama, repousando com fones aos ouvidos. Meu filho estava do outro lado da cama, colando figurinhas no álbum dele. Havia várias figurinhas espalhadas pela cama. Havia também várias partes descartadas de papel das figurinhas já destacadas e de saquinhos abertos. Uma típica bagunça em torno de uma criança brincando. Num dado momento, eu tive uma intuição. Pensei: "Ele daqui a pouco virá rolando até mim por cima de toda essa bagunça".

A partir dessa intuição, resolvi bolar um exercício mental para mim mesmo. Resolvi "sair da cena" em que eu estava e me projetar (mentalmente) como um observador do que aconteceria em seguida e de qual seria a minha reação. Tentei prever dois cenários. O primeiro: ele rola na minha direção, e eu já disparo, bravo, que tudo deveria ser devidamente arrumado. Ele fica irritado e sai bufando. O segundo cenário: ele rola na minha direção, e eu contenho a mania automática de pedir para que as coisas sejam arrumadas antes e apenas observo o que ele pretende.

Optei, até meio contraintuitivamente, por dar chance ao cenário número dois. E eis o que, de fato, aconteceu: como previsto, um tempo depois, ele rolou na minha direção. Veio-me o ímpeto de pedir para ele arrumar a bagunça, mas me segurei e fiquei calado. Ele, então, subiu em cima de mim, abraçou-me e beijou-me. Retribuí. Continuei em silêncio. Ele depois voltou para o lado dele e ESPONTANEAMENTE começou a organizar e guardar toda a bagunça.

Ao evitar seguir um comportamento automático (quase compulsivo), eu ganhei várias coisas de uma só tacada: 1 – um beijo e um abraço;

2 – evitei uma situação desagradável para mim e para meu filho; 3 – percebi que meu filho também pode agir corretamente de forma espontânea sem precisar de cabresto para tudo; 4 – aprendi o poder do "distanciamento observador de mim mesmo".

O meu presente de Natal

Às vezes, perguntam-me como minhas mudanças pessoais afetaram a minha família. Eu ainda tenho pouca ideia do real impacto dessas mudanças, visto que elas são relativamente recentes. Uma cartinha que a minha filha escreveu no último Natal talvez ilustre um pouco este efeito:

Querido Papai Noel, eu sei que posso pedir algo, mas este ano não vou querer nada. Não preciso de mais nada, mas obrigada por, todos esses anos, ter me dado muitos presentes.

Boas entregas e um Feliz Natal!!
Beijão

O que você quer ser quando crescer?

Sabe qual é a resposta que mais me encheria de orgulho ouvir dos meus filhos? Não, não seria "famoso", "rico", "bem-sucedido" ou "médico, como o pai". Eu me alegraria muito se a minha filha dissesse que gostaria de ser Lais, ela mesma, quando crescesse. Eu ficaria muito contente se o meu filho dissesse que gostaria de ser Olavo, ele mesmo, quando crescesse.

Almejar para a própria vida qualquer outra aspiração ou desejo que não inclua, em primeiro lugar, ser a si mesmo talvez os apequene e aprisione demais. Ela pode até "estar" médica no futuro, mas, se dentro do jaleco não estiver a Lais, dificilmente será feliz. Ele pode até "estar" advogado no futuro, mas, se dentro do terno não estiver o Olavo, dificilmente será feliz.

Talvez nenhum cargo, papel, profissão ou posição devesse ser encarado como um fim em si mesmo, como um objetivo definitivo ou meta de vida. Talvez devessem ser encarados como ferramentas ou instrumentos de expressão e conexão com os outros e com o mundo, mas nunca como fim da linha.

Oxalá eles nunca se permitam deixar a Lais e o Olavo de lado em função de querer vestir um personagem qualquer. Ser Olavo e ser Lais são infinitos e de potencialidade ilimitada; qualquer outro "ser isso ou ser aquilo" tende a enjaulá-los, a reprimi-los.

NOOCÍDIO

*Acordar para quem você é requer desapego
de quem você imagina ser.*
Alan Watts

Se você aguentou a leitura deste livro até aqui, podemos supor que talvez algumas considerações passem atualmente pela sua cabeça. A essa altura, eu tenho uma boa e uma má notícia para você: a boa notícia é que existem alguns aspectos que podem ser induzidos externamente para que nos transformemos de forma positiva, que ajudam a estimular nossa evolução *de fora para dentro*. Há técnicas diversas que podem nos auxiliar a enxergar os cabrestos e moldes mentais antigos e profundos que nos limitam. Existem também inúmeros outros instrumentos à nossa disposição para que consigamos acessar partes obscuras e conflitantes do nosso subconsciente, instrumentos esses que são bastante eficazes em utilizar canais apropriados à reprogramação do nosso inconsciente.

Agora eu lhe apresento a má notícia: mesmo que eu seja amplamente bem-sucedido em tomar consciência das gaiolas mentais ocultas e profundas que me aprisionam e que me engaje com seriedade em exercícios de transformação dos meus sistemas inconscientes de crenças intimamente arraigadas, isso tudo ainda pode não ser suficiente. Há um aspecto inalienável e intransferível que jamais pode ser feito *de fora para dentro*, uma condição fundamental sem a qual todo o esforço de mudança pode ruir e virar pó, que não pode ser terceirizada e nunca poderá ser feita por alguém que não apenas e tão somente a própria pessoa. Há necessariamente de existir um ímpeto interno, inabalável, que brota *de dentro para fora* e que emana como uma força irrefreável de DEIXAR DE SER. Trata-se de uma contraintuitiva e temerosa escolha íntima de desapegar-me da pessoa que precisa do sofrimento conhecido para sobreviver e de arriscar-me a emergir como uma versão potencialmente mais livre e feliz de mim mesmo. Escolho de propósito enterrar um jeito pré-fabricado e pré-programado de pensar, sentir e agir inercial que me veio predestinado a ser e opto voluntariamente por ressurgir em vida, no mesmo corpo, para um novo jeito de ser escolhido agora por mim mesmo, fora por inteiro do túnel conhecido e familiar de sempre, uma escolha totalmente fora do que sempre pensei ser, apenas optando por aquele breu desconhecido do que "nunca imaginei ser possível para mim".

Aguenta eu te dizer que não adianta tentar mudar nada sem antes mudar a si mesmo?

É curiosa a forma como em geral lidamos com os nossos próprios problemas. A reação inicial mais comum talvez seja a de negação: tendemos inicialmente a cegar, fugir ou nos esconder do infortúnio, minimizando sua importância e relativizando o incômodo por ele gerado. Mas nem sempre o que tentamos esconder dos olhos passa despercebido ao coração. Estamos aqui no estágio de "fuga", entre aquelas três reações instintivas conhecidas mais comuns à sobrevivência animal: luta, fuga ou paralisia. Com o tempo, acontece o óbvio: o problema não desaparece por milagre apenas porque vestimos uma venda ao redor dos nossos olhos. Mais que isso, o problema tende a crescer e avolumar-se – isso quando ele não resolve dar crias variadas e espalhar-se, enlameando várias áreas aparentemente independentes de nossa vida.

Uma vertente alternativa a essa postura de negação e evitação é a sua irmã gêmea: a camuflagem. Trata-se de um método também bastante popular de lidarmos com nossas desventuras. No lugar de virar as costas, tentamos encobrir o tormento com várias e várias camadas de coisas que se prestem a sufocar, entorpecer, calar e abafar o dissabor. Podem ser camadas de prazeres, como comida e álcool em excesso, drogas lícitas ou ilícitas, deturpações sexuais, jogo ou outros vícios. Podem ser camadas de máscaras sociais, familiares ou profissionais. Podem ser camadas de confrontação por protesto, agressividade ou contestação. Podem, ainda, ser camadas de autopiedade através de vitimismo, culpas ou autoflagelo.

Naturalmente, investir tempo, energia e dedicação em camadas e mais camadas protetoras para blindar uma angústia íntima não resolve o assunto.

Quando nem a fuga nem a camuflagem surtem efeito, ou mesmo nem chegam a ser usadas como ferramentas para se lidar com nossos padecimentos, podemos lançar mão do reflexo de "luta" contra o problema. Encaramos a questão frente a frente, determinados a exterminar o nosso sofrimento. Às vezes, somos aparentemente bem-sucedidos em eliminar o mal aflitivo mais evidente. Contudo, mesmo essa aparente boa notícia pode esconder uma perigosa ilusão. Será que é possível livrar-se de um problema sem se livrar da pessoa à qual este problema está ligado? Em outras palavras, se problema e pessoa estão umbilicalmente conectados, o que ocorre ao se eliminar um problema sem que nada mude de verdade no íntimo da pessoa que produz, nutre e/ou atrai este problema? A suposição mais lógica neste contexto, a meu ver, é que a mesma pessoa (não profundamente transformada) tenderá talvez a produzir o mesmo problema, um problema ainda pior ou vários outros problemas parecidos disfarçados de problemas diferentes. E aí podemos nos enroscar. Matar um leão por dia talvez não nos traga paz e felicidade. Se eu continuar a tentar superar um problema após o outro sem atentar para o fato de que esses problemas podem ter todos um pano de fundo comum que os une diretamente a mim, posso deixar passar uma oportunidade importantíssima de autocompreensão. E qual é, então, essa percepção importante?

Trata-se de uma aceitação deveras amarga, contudo crucial, de entender que **"eu sou o meu problema e o meu problema sou eu"**. Sou a única coisa que une todos os meus aparentemente distintos contratempos. A essa epifania, associa-se a ideia de que eu e o meu problema somos indissociáveis, somos partes inseparáveis de um mesmo conjunto. Trata-se de uma compreensão fundamental: o que eu penso, sinto e faço (ou seja, o que eu sou) produz, sustenta e atrai as minhas penúrias. Baseado nesse conceito, nada adiantará me livrar de um problema sem me livrar junto do meu jeito de ser produtor necessário do conjunto dos meus problemas.

Manter uma ilusão de "eu aqui em um canto, e o problema lá em outro", como que completamente separado e desconectado de mim, tende a produzir uma espiral cíclica e repetitiva negativa. Suplícios, calvários e provações vão surgindo aqui e ali, e nos cegamos para o fato de que, apesar de muitas vezes os problemas apresentarem-se sob formas variadas em diferentes locais, circunstâncias e com personagens diferentes, em sua maioria eles costumam, no fundo, ser apenas manifestações diversas de um tema raiz problemático único, oculto, íntimo e antigo.

Agora, então, danou-se! Se não tem como fugir, se não tem como camuflar, se não tem como combater, o que fazer, então?! Neste exato ponto, algumas pessoas deflagram a terceira reação instintiva animalesca: a "paralisia". Tal congelamento coloca-nos frente a uma encruzilhada essencial, talvez uma oportunidade ímpar de autorreflexão. Uma pergunta paradoxal pode surgir: "Quem sou eu sem os meus problemas?". Estamos, neste ponto singular, como que colocados à beira de um precipício. Posso aqui optar por voltar a me agarrar com firmeza ao meu jeito de sempre, àquela minha noção familiar do "sempre fui e sempre serei assim", rechaçando completamente a ideia de mergulhar no vazio desconhecido. Tal escolha implica, com certeza, quer tenhamos ciência disso ou não, a firme manutenção do pacote completo: eu como sempre fui + O INEVITÁVEL CONJUNTO DE PROBLEMAS E SOFRIMENTOS inexpugnáveis a essa *persona* que não pretende deixar de ser assim. Trata-se de uma escolha plausível e, até certa medida, justificável, visto que aqui lidamos com a ponderação entre o sofrimento familiar conhecido *versus* o risco de uma felicidade desconhecida. Temos um cérebro muito propenso a temer o incerto e o desconhecido. Estamos muito mais acostumados ao medo do inesperado do que ao amor pelo imponderável. Estamos bem mais familiarizados à segurança rotineira inercial do que à confiança pelo novo. É frequente ignorarmos, para o cálculo dessa escolha, dois aspectos. Primeiramente, deixamos de ponderar que o sofrimento conhecido passado não é garantia de estabilidade futura. Esquecemo-nos de cogitar a chance de que a tendência pode ser de piora, muita piora futura. Em segundo lugar, o abandono de um jeito de ser não implica, em absoluto, a perda do que existe de positivo. Na verdade, é justamente o contrário: reforça-se o que já é bom, e abrem-se outras frentes positivas com o desapego ao negativo.

Há, assim, aquela que parece ser a solução mais radical e difícil (mas também a mais recompensadora) para lidar com problemas crônicos complexos. Aqui eu introduzo, então, este conceito através de um neologismo: NOOCÍDIO, em que *noos* representa "mente" e *cidium* representa "matar". Esta ideia de "noocídio" guarda muita similaridade com a ideia expressada pelo termo "metanoia", que significa uma profunda transformação íntima da mente. Mas como a palavra "metanoia", apesar de produzir o mesmo efeito prático, está mais carregada de uma noção religiosa e espiritual, sendo, por vezes, tomada como um processo de encantamento produzido por forças inexplicáveis externas ao próprio indivíduo, optei por conceber a palavra **noocídio** para enfatizar a importância da vontade consciente do indivíduo neste processo, independentemente de forças sobrenaturais. Por noocídio, pretendo expor a ideia do desapego à pessoa que precisa de determinado sofrimento para sobreviver em prol de uma metamorfose (no mesmo corpo e na mesma vida) para uma versão livre de si mesmo. Por noocídio, eu entendo aquele "clique", aquela mágica "virada de chave" (que só cada um intimamente pode produzir) em que eu enterro um jeito de ser não mais adequado para conseguir renascer para uma vida escolhida por mim mesmo e não mais pré-programada de fábrica. Por noocídio, compreendo a opção pelo mergulho rumo ao abismo do desconhecido, confiando nas asas que se abrem apenas durante (e nunca antes) a queda para permitir voos antes inimagináveis.

Você, por acaso, ainda se recorda da história da armadilha para macacos e a forma como eles podem ser capturados de uma maneira relativamente simples ao não soltarem a banana com a mão presa dentro de uma cumbuca, que eu mencionei bem no começo do livro (capítulo "Uma pitada de ciência")? Agora, imagine que nós mesmos podemos ser esse macaco, segurando com firmeza uma banana, que, no nosso caso, bem poderia ser uma identidade ligada a sofrimentos, problemas e comportamentos negativamente repetitivos. Até quando você vai continuar segurando essa sua identidade (banana)? Ter um apego rígido a uma identidade segura e familiar (banana) é mais importante do que ser livre e feliz (tirar a mão da cumbuca)? Se você não para de receber inúmeras mensagens (problemas, sofrimentos e contrariedades) de que a sua mão não vai sair da armadilha sem desapegar-se da banana e de que o caçador se aproxima perigosamente, você ainda vai continuar apegado à sua única versão de fábrica de si mesmo (não vai abrir mão)?

Síndrome de Gabriela

> ♪ ... *Eu nasci assim, eu cresci assim*
> *Eu sou mesmo assim*
> *Vou ser sempre assim...* ♪
> Extrato da música "Modinha para Gabriela",
> de Dorival Caymmi.

Uma linda música do gigante compositor baiano que pode nos brindar com uma excelente oportunidade de reflexão. Quanto você tem de Gabriela em si mesmo? Quantas vezes você se incomodou com o fato de estar preso a uma única vertente de si mesmo? Até que ponto estarmos presos a uma única identidade fixa e permanente pode prejudicar nossa evolução pessoal?

Viver uma vida toda à Gabriela pode indicar duas suposições básicas. Numa primeira ilusão megalomaníaca, pode-se considerar como sendo perfeito e acabado, sem necessidade de ajustes. Tal estado de perfeccionismo sublime obviamente não requer qualquer mudança, pois já se considera no apogeu máximo de si mesmo, com uma vida que se pode manter tal qual está, intocada, até o fim dos tempos. Numa segunda ilusão, mesmo em se admitindo a própria falibilidade, é possível acomodar-se em si mesmo na posição "default" e tocar adiante no automático, imaginando-se que essa única expressão de si, mesmo com seus defeitos, seja mais do que suficiente para superar os obstáculos e trazer a felicidade na linha de chegada. Será? Poderia mesmo uma única versão sua ser capaz de fazer frente às múltiplas etapas de vida e às múltiplas circunstâncias pelas quais você passa?

Talvez tão nocivo quanto não ter noção de uma identidade própria ou tê-las em multiplicidade simultânea, também seja muito deletéria a rigidez em enxergar uma vida toda como uma única versão inescapável de si mesmo. Possivelmente o melhor da saúde mental e emocional não esteja nem tanto para o lado de Gabriela, nem tanto para o lado do transtorno de personalidades múltiplas, nem tanto para a vida acorrentada a um destino único linear, nem tanto para a esquizofrenia.

Problema externo ↔ Solução interna

Se partirmos do pressuposto de que tudo tem sua contraparte oposta, assim também pode ser verdade com os nossos problemas. Será que algo visto externamente como negativo não pode estar sendo interpretado (e mantido) como solução positiva por alguma parte interna no nosso cérebro?

O fumo, que eu percebo racional e superficialmente como nocivo, será que não pode estar sendo mantido porque representa alguma finalidade positiva internamente pelo cérebro?

A ansiedade, que eu noto racional e superficialmente como danosa, será que não pode estar sendo mantida porque simboliza algo importante para partes ocultas do cérebro?

O hábito de autossabotagem em relação a ganhar dinheiro, que eu vejo racional e superficialmente como prejudicial, será que não pode estar sendo sustentado por representar alguma solução interna ocultamente benéfica?

Podemos vencer o tabagismo através de uma força hercúlea de parar de fumar apenas porque fumar é ruim? Sim. Mas não costuma ser fácil.

Podemos controlar a ansiedade através de instrumentos calmantes diversos, já que sabemos que ansiedade é prejudicial? Sim. Mas nem sempre é tão eficaz.

Podemos deixar de nos autossabotar financeiramente através de orçamentos, planilhas e cursos? Sim. Mas talvez o efeito seja transitório.

Tais métodos que contemplam apenas uma das pernas do problema (a faceta negativa externa) talvez tenham resultados menos auspiciosos. E se passássemos a dar a devida atenção também à perna mais oculta dos nossos problemas (a faceta positiva interna)?

Digamos que, para um determinado fumante, além de atentar para os malefícios do cigarro e tentar um programa de tratamento antifumo, ele perceba que, no seu caso específico, fumar pode ser uma "solução interna" porque simboliza "sufocar" ideias negativas relacionadas a algum convívio muito antigo dormente em seu cérebro.

Ou que, para alguém ansioso, além de "tentar se acalmar" ou fazer tratamento médico específico, ele note que, no seu caso específico, a ansiedade pode ser uma "solução interna" para manter uma lealdade emocional oculta a algum genitor. E que, para uma pessoa cronicamente problemática na lida com o dinheiro, além de tentar melhorar sua contabilidade pessoal, ela enxergue, no seu caso específico, que a sua dificuldade pode ser uma "solução interna" para manter uma dependência crônica em relação a alguma figura que a abandonou na infância.

As especulações que fiz acima talvez sirvam ao intuito de tentar ampliar um pouco o nosso olhar (às vezes algo limitado e superficial) para incômodos pessoais que nos acometem rotineiramente e que, se não vislumbrados em sua totalidade, talvez nos tornem fadados a nos acorrentarmos a eles *ad eternum.*

O ponto

Livre-arbítrio talvez seja um ponto. Nitidamente gozamos de muito menos liberdade do que gostaríamos. Eu não posso deixar de morrer, mesmo se quisesse muito. Também não posso virar fisicamente um rinoceronte com a força do pensamento, tampouco materializar na minha frente agora uma Ferrari 250 GTO de 1962 ao estalar dos meus dedos.

Nossas escolhas, opções e criações são muito mais restritas e limitadas do que gostaríamos de admitir. Sob o ponto de vista científico restrito, bem pouca coisa (para não dizer nada) poderia escapar à ditadura da causa e efeito. Assim, seríamos todos efeitos necessários e inescapáveis de causas precedentes além do nosso controle. Algo como: tudo o que acontece agora é o que é e nada poderia ser diferente, pois tudo segue um fluxo de causas precedentes gerando efeitos preconcebidos.

Sob esse aspecto cru, determinístico e materialista, não existiria nenhuma brecha para livre-arbítrio real. Mas, mesmo sob esse paradigma, talvez exista uma fresta. Nesse sentido, talvez o livre-arbítrio seja um microponto infinitesimal, um ponto que parece escapar à vida de muitas pessoas. Pode ser extremamente ingrata a tarefa de conseguir defender a existência de livre-arbítrio para características não humanas. Afinal, a água flui pela corredeira da única maneira possível, conforme as leis físicas determinam para aquelas dadas circunstâncias, sem escolhas. Afinal, a vaca rumina no pasto da única forma que poderia fazê-lo, segundo os instintos e circunstâncias ambientais, sem opções. Afinal, isso também guarda muita correlação com a maneira de as pessoas à nossa volta acabarem sempre agindo de formas bastante previsíveis, aparentemente também sem muita alternativa. E, se nós humanos somos a sequência evolutiva natural de rios que fluem e das vacas que ruminam sem nenhum livre-arbítrio, o que nos faria supor que poderíamos dispor de uma liberdade além do alcance do universo não humano?

A resposta talvez esteja justamente naquelas características humanas únicas não disponíveis para quem não pertença à espécie *Homo sapiens*.

Sob este raciocínio, o nosso livre-arbítrio poderia apenas estar disponível no que compete ao nosso caráter humano. Assim, talvez a única, verdadeira e real liberdade que alguém possa, de fato, alcançar seja deixar voluntariamente de ser uma pessoa e escolher outra versão para si mesmo. Eu deixo de ser a pessoa que precisa de determinadas características para sobreviver e, por vontade própria, me arrisco a ser outra pessoa com características distintas. Esta, meus caros, talvez seja a única forma de escapar do aprisionamento irrefreável do destino. Admite-se assim, que não são poucas as pessoas que viveram, vivem e viverão a única versão de vida inescapável a que o destino as empurrou. Mas quem disse que eu não posso mergulhar nesse microponto de livre-arbítrio, onde deixo de ser quem sempre fui para emergir com novas possibilidades de ser alguém diferente, uma outra versão evoluída e aprimorada de mim mesmo?

Talvez assim, o real e verdadeiro livre-arbítrio esteja mais para a noção de abandono do que para miniescolhas ilusórias. O abandono de um jeito de ser inadequado e a coragem de abraçar outra possibilidade de ser – falamos assim de duas pessoas diferentes em suas características humanas: aquela que entrou nesse ponto e a outra que saiu completamente transformada. Trata-se de pessoas distintas, com diferentes destinos: aquela versão anterior que precisava da identificação com os problemas antigos para sobreviver e a outra pessoa, que emerge como possibilidade de escolha voluntária, disposta a retornar ao ponto humano de livre-arbítrio quantas vezes forem necessárias para evoluir e desenvolver-se.

Redenção e Ressurreição

Contemplar religiosamente o processo ritualístico de Jesus Cristo crucificado, morto e ressuscitado não necessariamente me faz entender a mensagem sublime por trás desse símbolo. Acompanhar a história de forma literal e teatral nem sempre me ajuda a observar a mensagem que talvez seja a mais importante: a ideia metafórica por trás do rito.

Eu sofro, daí **eu** "morro" simbolicamente e depois **eu** ressuscito *em vida* para seguir por outro caminho, mais pleno e próspero. Trago o paraíso para dentro de mim agora, em vida, através do meu próprio processo pessoal de "morte simbólica" para um jeito de pensar, sentir e agir que não mais me satisfaz e "renasço" em vida, no mesmo corpo, para um novo jeito mais livre e com potencial para a minha felicidade.

A mitologia grega trazia o símbolo da Fênix, que ressurgia de suas próprias cinzas.

Tribos indígenas tinham o mito ritualístico da morte xamânica, em que se morria para a vida pagã e então se renascia para a vida espiritual após uma intensa experiência mística pessoal.

Se interpreto a narrativa de morte e renascimento apenas de forma **literal** e ritualística, posso deixar passar batida uma importante lição **me-**

tafórica escondida por trás dessas representações: a de que o significado maior da ideia de morte-ressurreição é, na verdade, o de REDENÇÃO ÍNTIMA PESSOAL.

Eu me redimo em vida. Eu morro para uma biografia, para um passado e para um jeito de viver que me fazem sofrer, e ressurjo para uma vida mais plena, próspera e livre escolhida por mim mesmo. Eu "enterro" um caminho passado inadequado e ressuscito para uma versão melhor de mim mesmo.

Eu, lagarta, encapsulo-me e depois renasço livre para alçar voos mais altos, agora sob a forma de borboleta, num patamar transformado de mim mesmo.

Observar o símbolo apenas de forma superficial e literal pode me levar a uma vida meramente **medíocre**. Viver com intensidade o símbolo *metaforicamente* em mim mesmo pode me levar a uma vida mais **transcendente** e significativa. Como fazer isso? Enraizando a mensagem dentro de mim. Trazendo isso ao agora, ao meu cotidiano, a esta exata e mesma vida corriqueira que eu estou levando, SENDO Cristo, Fênix, Xamã e lagarta em mim mesmo.

Vale destacar que o desapego, a morte ou o "autoassassinato" mental não implicam, em absoluto, jogar fora, renegar, apagar ou esquecer quem eu fui um dia. Muito pelo contrário: trata-se de honrar e louvar a minha versão anterior. Trata-se de reverenciar quem eu fui (mas sem precisar manter isso como apego indefinido), já que foi esta versão anterior que me proporcionou atingir um estágio mais avançado de evolução pessoal. E, talvez mais profundamente do que isso, trata-se de um verdadeiro e puro exercício íntimo de amor-próprio, de um amor incondicional por mim mesmo. Eu amo a mim mesmo sob quaisquer circunstâncias. Eu amo toda e qualquer versão de mim, tanto as anteriores quanto as potenciais versões transformadas futuras. Eu abandono meu amor meramente condicional por apenas uma única versão minha para entregar-me ao amor verdadeiramente ágape e incondicional de mim mesmo, em todas as minhas versões e variações, passadas, presentes e futuras, irrestritamente.

Liberdade, identidade e tarantelas

Um grande corpo de evidências neurocientíficas contemporâneas aponta que talvez tenhamos bem menos liberdade de escolha do que podemos supor corriqueiramente. É mais ou menos como se pudéssemos escolher apenas dentro de um túnel, de um funil ou de uma pequena caixinha apertada, dado os limites impostos por nossa mente inconsciente.

Conscientemente, a aparência geral é a de que teríamos quase infinitas possibilidades para escolher como agir, o que fazer e como decidir, mas nosso inconsciente foi amoldado por condicionamentos externos antigos e profundos que nos fazem escolher quase sempre dentro do mesmo padrão repetitivo, conhecido e familiar. É mais ou menos como se enxergássemos ilusoriamente um enorme cardápio de mais de 30 páginas (quase um livro) daquelas antigas cantinas italianas, mas invariavelmente sempre pedíssemos os pratos de sempre ao mesmo garçom. Ficamos, de um lado, contentes com a falsa sensação de liberdade por enxergar um mundo de opções em um cardápio gigantesco, mas justamente isso pode nos cegar para o fato aprisionante de que apenas decidimos pelo funil do condicionamento inconsciente conhecido.

É justamente o túnel estreito e limitado de escolhas e opções produzido pelos moldes inconscientes que nos ajuda a ter um senso de IDENTIDADE PRÓPRIA, ou seja, eu sei que "eu sou eu" exatamente porque sempre penso, ajo, comporto-me e escolho da maneira conhecida. Assim, escolher sempre dentro do funil e do meu quadradinho conhecido reforça a minha sensação íntima de autoidentidade e de autorreconhecimento. É como se eu pudesse respirar aliviado: "Ufa! Eu continuo sendo eu mesmo, que bom!". O cérebro adora essa sensação e faz de tudo para aferrar-se a essa percepção familiar, conhecida, automática e inercial. Trata-se de uma questão de custo-benefício energético para o cérebro: o mesmo de sempre tende a ser mais barato, rápido, fácil e confortável.

Sempre que nos refestelamos com as nossas escolhazinhas automáticas e inerciais ditas conscientes e racionais, estamos lidando com algo do tipo PARECER ou TER, nunca ao nível do SER. Escolhas fora do funil inconsciente implicariam mudanças mais complexas ao nível de SER, da nossa própria sensação de autoidentidade, daquilo que nos fornece o próprio sentido de "quem eu sou". E aí, caro leitor(a), nesse terreno, nesse nível profundo, o "bicho pega". Apenas cogitar de relance, por mera hipótese, fazer uma escolha completamente fora da caixinha, diferente daqueles três ou quatro pratos de sempre do cardápio, pode causar duas situações complicadas: na primeira, pode-se provocar incredulidade no garçom, complicando a vida da cozinha e do serviço do restaurante; na segunda, tendem-se a disparar circuitos neurais extremamente desagradáveis em nosso cérebro, similares aos que se deflagram em situações de risco iminente de morte. Enquanto estamos apenas optando dentro do funil, lidando somente com mudanças superficiais de TER ou PARECER, a patrulha mental cerebral tende a fazer vistas grossas, mas basta ousarmos tentar escolher fora do funil, o que implicaria numa mudança de SER, que a patrulha dispara todos os alarmes e sirenes dentro do sistema límbico cerebral, tentando nos manter sempre presos ao mesmo sentido de identidade conhecido, sem sustos.

Assim, para falarmos em livre-arbítrio de fato, teríamos que ousar transformar uma parte mais profunda de nós mesmos: o nosso próprio senso de identidade. Mexer, de fato, em quem realmente SOMOS, não apenas no que temos ou aparentamos.

O não caminho

Houve um tempo em que eu enxergava um caminho nítido quando olhava para trás. Mas esse caminho passado já mudou muitas vezes. Já o vi como partes sombrias que se tornaram claras e vice-versa. Já o vi ora largo, ora estreito, ora curto, ora longo. O fato é que, cada vez que me volto para esse caminho passado, uma nova percepção inédita surge, seja por um detalhe esquecido, seja por uma parede que nunca existiu ou mesmo por uma curva que nunca desviou.

Houve um tempo em que também via com nitidez o caminho adiante. Um caminho vindouro que ora parecia ascendente, ora parecia descendente, ora parecia neutro. Mas o fato é que, até algum tempo atrás, eu costumava sempre divisar um caminho à frente.

Hoje percebo que, qualquer que seja o caminho futuro, ele é, por si mesmo, mera ilusão mental. Mais que isso: sinto que, se consigo vislumbrar com clareza um caminho adiante, trata-se possivelmente de uma prisão mental ilusória autoimposta.

Prefiro pensar não em um caminho, mas sim em um vasto campo ilimitado e inesperado de possibilidades subsequentes. Prefiro pensar em uma infinita tela em branco, uma imensidão irrestrita de vertentes ao meu dispor. Sem trilhas. Sem rotas. Sem prisão. Assim, sinto-me mais eu: um caminho maleável atrás, um infinito disponível à frente e uma imensidão plena agora.

Eu continuo arriscando

Talvez o risco esteja para a vida, assim como a certeza esteja para a morte.

Quando eu não arrisco, eu me sinto meio morto.

Quando eu não escolho o incerto, eu perco vitalidade.

Quando só o garantido e o seguro servem, eu desboto em artificialidade.

Quando eu rechaço o desconhecido, eu autofomento a minha prisão.

"Há muito tempo, havia um povo acuado e cercado junto ao litoral pelo exército mais poderoso da época. Sem saber ao certo o que fazer, esse povo acabou dividindo-se em quatro opiniões distintas: uma parte defendia o enfrentamento, mesmo em condições totalmente adversas; outro grupo considerava a possibilidade de rendição; uma outra vertente achava que eles deveriam ficar aguardando, orando e rezando a Deus; e um quarto grupo preferia que aguardassem as melhores condições do mar para tentar fugir e escapar pela praia. Consultaram, então, o seu líder para saber qual das quatro opções seria a mais adequada. O líder foi ter junto a Deus a consulta crucial. Ele, então, voltou com a resposta: 'Não! Vocês não lutarão! Não! Vocês não se renderão! Não! Vocês não ficarão parados rezando! Não! Vocês não ficarão esperando a maré! Venham comigo agora e entremos todos juntos no mar para atravessar para a Terra Prometida!'.

Assim o fizeram. E quando, já bem adiante e amedrontados com a água já chegando ao nível do pescoço, eis que o mar se abre e eles conseguem chegar salvos até a Terra Prometida do outro lado da margem."[10]

Não, os caminhos conhecidos nem sempre são os melhores.

Não, os melhores caminhos nem sempre estão abertos: eles vão se abrindo DEPOIS que iniciamos o processo de caminhada.

Não, não há caminho fácil para a "Terra Prometida".

---

[10] Parábola judaica sobre Moisés e a abertura do Mar Vermelho, tal como eu recordo da peça de teatro "A Alma Imoral", do livro homônimo de Nilton Bonder.

EPÍLOGO

Esqueça as retas.
Pense em círculos, em curvas
Em altos e baixos
Assim, as surpresas da vida o surpreenderão menos
O desgastarão menos
Pense em labirintos, em tramas de tecidos
Em caminhos, pontos cruzados
Montanhas-russas, em idas e vindas
Lembre-se a beleza da surpresa e da magnitude do desconhecido
Da emoção de cada passo
E da probabilidade fantástica dele dar certo ou errado
Mais ainda, reflita sobre a poderosa mudança do conceito de certo e errado
Não pense em dados, em estatísticas
Considere a vibração o pulsar e as batidas do seu coração
Venere tudo aquilo que o faça sentir vivo
Caia e aceite a queda, compreenda o seu motivo
E faça dela algo que tenha valido a pena
Confie na vida, analise a sua história e
Descubra o sucesso do caminho trilhado até aqui
Deixe o peso da culpa, o fardo do que é amargo
E aceite a si mesmo
Respire fundo e olhe ao redor
Ache uma coisa bonita e sorria com isso
Olhe no fundo dos seus olhos e descubra o presente que é a vida.
Fabiana Gonzalez

Síndrome do coitadismo

Criar uma realidade pessoal negativa para atrair benemerência externa soa familiar? Conhece alguém assim? Será que você é assim? A bem da verdade, TODOS nós já fizemos isso na vida um dia.

Eu sou bebê. Tenho fome. Choro. Ganho leite.

Eu sou bebê. Tenho sono. Choro. Ganho colo.

Eu sou bebê. Estou sujo. Choro. Trocam a minha fralda.

Eu sou criança. Quero um brinquedo. Faço um escândalo. Ganho o brinquedo.

Nascemos com o reflexo inato instintivo de expressar sofrimento para atrair atenção alheia para ter nossos desejos mais básicos supridos. Faz parte do jogo de sobrevivência física e emocional nos estágios iniciais de vida de qualquer ser humano.

Ao que parece, contudo, algumas pessoas permanecem atracadas a esse modo pueril de viver até a morte. Nosso processo de maturação emocional, pessoal e social implica, necessariamente, que nos desprendamos de um papel exclusivo de receptor para ampliar nossas capacidades doadoras.

♫ "Marvin, agora é só você..."

Em geral, nascemos inundados por amor, carinho e afeto que nos dedicam nossos cuidadores. Trata-se de um período necessário e importantíssimo para o nosso desenvolvimento físico, emocional e intelectual. Nem todos, é claro, têm a oportunidade de ser depositários de uma abundância de tais sentimentos durante os primeiros anos de vida. Contudo, notemos que, a despeito de termos ou não sido agraciados por anos iniciais dourados, não podemos ficar dependentes para sempre dessa fonte externa de cuidados, sob risco de nunca nos tornarmos pessoas autônomas e plenamente amadurecidas sob o ponto de vista mental e emocional. Se não formos capazes de substituir a fonte externa de cuidado (representado de forma mais evidente pelo símbolo do amor materno) por uma fonte interna autossustentável, inesgotável e inabalável (representada de forma mais evidente pelos símbolos de "amor-próprio", "autoconfiança", "autoestima" ou, como preferem alguns, uma "centelha divina" interna), temos uma chance não desprezível de engaiolarmo-nos num grande sofrimento íntimo, com impactos nocivos em aspectos variados de nossa vida: pessoal, profissional, familiar, física, social etc.

Essa falha, bloqueio ou evitação em transformarmos a fonte externa e dependente por outra fonte interna e autônoma de amor manifesta-se danosamente sob formas variadas:

1 – Seja tentando "passar a conta" da fonte externa da mãe para alguma outra pessoa: cônjuge, sócio, filho etc. (com consequências potencialmente desastrosas, já que não é responsabilidade de mais ninguém, senão nossa, efetuarmos essa transição).

2 – Seja incorporando uma personagem vítima/sofredora, numa tentativa rudimentar e penosa de atrair a piedade alheia para tentar continuar a se alimentar indefinidamente da fonte externa.

3 – Seja tentando agradar a todos a todo momento de maneira compulsiva, numa forma algo camuflada e disfarçada de, indiretamente, também tentar se manter apegado a fontes externas (através de retribuições pelo comportamento sistematicamente bondoso).

4 – Seja tentando obter poder, numa intenção de permanecer sendo servido indefinidamente por outros.

5 – Seja numa atitude vingativa, raivosa, rancorosa, agressiva, violenta ou de reclamação, num ciclo negativo de busca inconsciente por "vingança" e "reparação de injustiça", graças a uma percepção íntima oculta de falta de amor, carinho ou afeto nos anos iniciais de vida, "descontando" a raiva no mundo ao redor.

6 – Seja desistindo, murchando ou embotando, por não encontrar maneiras adequadas de lidar com a falta de uma fonte externa.

Não há quem possa fazer por nós esse caminho de substituição da fonte externa para a fonte interna, exceto nós mesmos. E, se isso não for feito de forma adequada, corre-se o risco de que a fonte ("maternal") externa (que tem período e intensidade provisórios e limitados) seja substituída por um grande "vácuo" interior, com potencial para uma permanente sensação de falta.

Talvez uma forma possível de incentivar uma transição da fonte limitada externa para a fonte ilimitada interna seja através de rituais, metáforas e exercícios simbólicos. A substituição do vácuo interno, em consequência da falta de afeto externo (de um cuidador/genitor), por uma fortaleza interna de abundância poderia ser comunicada de modo mais potente e eficaz para a parte mais antiga e profunda do cérebro, onde realmente faz diferença essa transformação: na parte subconsciente. Dado que essa parte mais oculta, antiga e profunda do cérebro responde melhor a metáforas do que aos argumentos, aos rituais do que à lógica cartesiana dedutiva, aos símbolos do que à linguagem verbal e ao corpo, às emoções e aos sentimentos do que à matemática, seria possível, através desses canais, estimular a transformação neuro-mental-cerebral para facilitar a transição de uma fase tão crucial e importante para o nosso amadurecimento pessoal.

Nascimento

A palavra "Natal" tem origem no latim e significa "nascimento". Para os cristãos, simboliza o advento da forma humana de Deus. Nascimento é um tema interessante, independentemente de religiões. Para que você nasceu? Você nasceu para comer, beber, trabalhar, reproduzir e morrer? Temos o costume de refletir com atenção a respeito do propósito pelo qual nascemos?

Eu nasci quando deixei o útero da minha mãe. Mas acho que também nasci, em certo sentido, quando meus próprios pais nasceram. E também quando os pais deles nasceram. E também quando os meus ancestrais todos nasceram. Eu nasci, enfim, de um fluxo de vida longínquo que me precedeu.

Será que todos esses que me antecederam não renasceram, de certa forma, em mim? Se assim for, qual seria o modo ideal de personificar a honra de ser merecedor desse "renascimento" de todos os que já passaram para que eu pudesse estar aqui? Sofrendo ou sendo feliz? Competindo ou cooperando? Preso a temas circunstanciais perecíveis ou livre em desígnios atemporais? Perdoando incondicionalmente ou carregando rancores?

Renasci após cada doença que me abateu. Renasci quando me casei. Renasci quando meus próprios filhos nasceram. Renasci com cada amigo que a vida me trouxe. Tento renascer a cada encontro, sorriso, atendimento, abraço, choro, cirurgia, texto. Procuro renascer a cada dia.

Retomando o Natal religioso, dificilmente pode-se encontrar um propósito mais elevado para se renascer do que aquele proposto pelo ícone máximo do cristianismo: amar incondicionalmente a si mesmo e a todos os outros.

O jogo dos 7 erros

Errar sempre os mesmos erros = sofrimento
Errar novos erros = evolução
Acertar achando que errou = culpa
Errar achando que está certo = teimosia
Só os outros erram = arrogância
Aceitar o erro = perdão
Permitir-se errar = liberdade

Menu

Liberdade não é escolher entre caminhos conhecidos. Liberdade não se trata de decidir por opções convencionais seguras. Liberdade não é pedir pelo cardápio.

Liberdade real é escolher **pelo desconhecido**. Liberdade real é ir além das fronteiras do "isso não é para mim". Liberdade real é deixar o cardápio de lado.

Fé × Crença (O *Homo credulus*)

Recebi recentemente esta difícil incumbência de uma amiga: escrever sobre a diferença entre fé e crença. Pensei "logo eu?!". Eu, que nunca fui muito ligado à religiosidade nem a assuntos místicos… A bem da verdade, sempre achei que fé e crença fossem mais ou menos a mesma coisa, como sinônimos. Conversa vai, conversa vem, fui aprendendo a diferença, que antes eu julgava aparentemente inexistente, entre esses dois conceitos.

Independentemente de conotações religiosas ou esotéricas que essas palavras possam trazer, eu já vinha, há algum tempo, colecionando dados e evidências, tanto de natureza científica quanto de intuição pessoal, de que, no fundo, no fundo, somos movidos por nossas crenças. Ousaria supor que o nosso combustível essencial mais poderoso seja justamente este: nossas crenças mais radicais e profundas. Em outras palavras: EU SOU, EM GRANDE MEDIDA, O QUE EU ACREDITO.

Aqui vai, então, o que me parece interessante ser diferenciado:

Crença é uma certeza profundamente arraigada, em geral não escolhida de forma consciente e que tende a enjaular o modo como pensamos, vivemos e agimos.

Fé é uma intuição, na maior parte dos casos mais lucidamente trabalhada, que tende a nos ajudar a flexibilizar opções mais amplas de caminhar.

As crenças são nossas lealdades invisíveis que nos amarram a conceitos familiares, sociais e profissionais que dirigem a nossa mente como que por um *chip* já implantado pela fábrica.

Fé nasce de uma escolha voluntária em confiar no inesperado, no incerto, no imprevisto.

Crença aprisiona, congela e nos encaixota na zona de conforto. Fé expande, acende a curiosidade, transcende e nos ajuda a construir novas realidades.

Crença julga. Fé confia.

Crença vive de passado. Fé mira o futuro com o lastro no presente.

Crença é esperar. Fé é esperança.

Crença é destino. Fé é livre-arbítrio.

Crença é medo. Fé é amor.

Existe luz no fim do túnel?

Não, não existe nenhuma luz lá no fim do túnel. Só pode existir luz aí dentro de você mesmo.

Se você não iluminar o caminho, pode acabar descarrilando na escuridão antes de chegar ao "fim".

Se houver alguma luz vinda de fora, ótimo, ajudará a reforçar a sua própria. Caso contrário, ilumine-se a partir de si mesmo. Ao conseguir fazê-lo perceberá que, na verdade, não existe túnel algum.

DAS INSPIRAÇÕES

Meu Destino

*Nas palmas de tuas mãos
leio as linhas da minha vida.
Linhas cruzadas, sinuosas,
interferindo no teu destino.
Não te procurei, não me procurastes –
íamos sozinhos por estradas diferentes.
Indiferentes, cruzamos
Passavas com o fardo da vida...
Corri ao teu encontro.
Sorri. Falamos.
Esse dia foi marcado
com a pedra branca da cabeça de um peixe.
E, desde então, caminhamos
juntos pela vida...*
Cora Coralina

1 – *Principles of Neural Science*, Eric R. Kandel, James H. Schwartz, Thomas M. Jessell. Fourth Edition. Mc Graw Hill, 2012.

2 – *Epilepsia*, Carlos A. M. Guerreiro, Marilisa M. Guerreiro, Fernando Cendes, Iscia Lopes-Cendes. 3. ed. revisada e ampliada. Lemos Editorial, 2016.

3 – *Handbook of Neurosurgery*, Mark S. Greenberg. Fifth Edition. Thieme, 2016.

4 – *A Sutil Arte de Ligar o Foda-se*, Mark Manson. Intrínseca, 2017.

5 – *Conexão Mente Corpo Espírito*, Candace Pert, Nancy Marriot. Barany Editora, 2009.

6 – *O Livro dos Ressignificados*, João Doederlein. Editora Paralela, 2017.

7 – *Los Cuatro Acuerdos*, Dr. Miguel Ruiz. Ediciones Urano, 2014.

8 – *Muito Além do Nosso Eu*, Miguel Nicolelis. Crítica, 2017.

9 – *A Arte de Viver*, Thich Nhat Hanh. HarperCollins, 2018.

10 – *Propósito*, Sri Prem Baba. Sextante. Editora Dummar, 2016.

11 – *Constelações Familiares – O Reconhecimento das Ordens do Amor*, Bert Hellinger e Grabriele tem Hövel. Editora Cultrix, 2010.

12 – *O Poder do Agora*, Eckhart Tolle. Sextante, 2002.

13 – *Tolices Brilhantes*, Mario Livio. Editora Record, 2017.

14 – *Olhares e Vozes da Alma*, Fátima Lee, Eliza Carneiro. Estação das Letras e Cores, 2017.

15 – *O Iconoclasta*, Gregory Berns. Editora BestSeller, 2009.

16 – "Dr Leonardo Neuro", Canal do YouTube. https://www.youtube.com/channel/UCdM7wPN1-ebEv5jpO1JzusQ

17 – "Kurzgesagt – In a Nutshell", Canal do YouTube. https://www.youtube.com/channel/UCsXVk37bltHxD1rDPwtNM8Q

18 – "Casa do Saber", Canal do YouTube. https://www.youtube.com/channel/UCtvvTFp0XANyllOdmzZr9VQ

19 – "The School of life", Canal do YouTube. https://www.youtube.com/channel/UC7IcJI8PUf5Z3zKxnZvTBog

20 – "NeuroVox", Canal do YouTube. https://www.youtube.com/user/NeuroVoxConsultoria

21 – *A Nova Lógica (Incoerente) da Administração*, Charles Jacobs. Elsevier Editora, 2009.

22 – *Se Eu Soubesse aos 20…*, Tina Seelig. Harper Collins. Selo Da Boa Prosa, 2007.

23 – *A Lógica do Cisne Negro*, Nassim Nicholas Taleb. Editora Best Seller, 2008.

24 – *A Cauda Longa*, Chris Anderson. Elsevier. Campus, 2006.

25 – *Os Segredos da Mente Milionária*, T. Harv Eker. Sextante, 2006.

26 – *Não Espere Pelo Epitáfio…*, Mario Sergio Cortella. 6. ed. Editora Vozes, 2005.

27 – *UAU! Como Causar Uma Ótima Impressão*, Frances Cole Jones. Sextante, 2010.

28 – *A Cura Quântica*, Dr. Deepak Chopra. 12. ed. Editora Best Seller, 2013.

29 – *Tudo é Óbvio*, Duncan J. Watts. Editora Paz e Terra, 2012.

30 – *Trabalhe 4 Horas por Semana*, Timothy Ferris. Editora Planeta do Brasil, 2017.

31 – *De Onde Vêm as Boas Ideias*, Steven Johnson. Zahar, 2011.

32 – *Todos os Clientes são Irracionais*, William J. Cusick. Elsevier. Campus, 2011.

33 – *Escola da Vida*, Ricardo R. Bellino, José Carlos Semenzato. Editora Planeta do Brasil, 2008.

34 – *O Andar do Bêbado*, Leonard Mlodinow. Zahar, 2009.

35 – *O Ativista Quântico*, Amit Goswami. Editora Aleph, 2015.

36 – *Criação Imperfeita*, Marcelo Gleiser. Editora Record, 2010.

37 – *O Universo Numa Casca de Noz*, Stephen Hawking. Ediouro, 2016.

38 – "*Dar e Receber*", Adam Grant. Sextante, 2014.

39 – "Minimalism: A Documentary About the Important Things". Documentário. Netflix (2016).

40 – "Wild Wild Country". Documentário. Netflix (2018).

41 – "Heal – O Poder da Mente". Documentário. Netflix (2017).

42 – "From Business to Being". Documentário. Netflix (2015).

43 – "Happy". Documentário. Netflix (2011).

44 – "Humano – Uma Viagem pela Vida". Documentário. Netflix (2015).

45 – "Hackers da Memória". Documentário. Netflix (2016).

46 – "As Maiores Incógnitas". Documentário. Netflix (2018).

47 – "Innsaei – The Power of Intuition". Documentário. Netflix (2016).

48 – "The Ascent of Money: A Financial History of The World", Niall Fergusson. Documentário (2008).

49 – *O Doente Imaginado*, Marco Bobbio. Bamboo Editorial, 2016.

50 – *A Terceira Medida do Sucesso*, Arianna Huffington. Sextante, 2014.

51 – *Desafiando o Talento*, Geoff Colvin. Coleção Negócios. Editora Globo, 2009.

52 – *A Beleza da Ação Indireta*, John Kay. Editora Best Seller, 2011.
53 – *Oportunidades Disfarçadas*, Carlos Domingos. Sextante, 2019.
54 – *O Gorila Invisível*, Christopher Chabris, Daniel Simons. Rocco, 2011.
55 – *O Poder do Não Positivo*, William Ury. Elsevier. Campus, 2007.
56 – *A Morte é um Dia que Vale a Pena Viver*, Ana Claudia Quintana Arantes. Casa da Palavra, 2019.
57 – *A Simples Beleza do Inesperado*, Marcelo Gleiser. Editora Record, 2016.
58 – *Além do Bem e do Mal*, *O Anticristo* e *Ecce Homo*, Nietzsche. Obras Escolhidas. L&PM Editora, 2015.
59 – *O Gênio em Todos Nós*, David Shenk. Zahar, 2011.
60 – *Sapiens. Uma Breve História da Humanidade*, Yuval Noah Harari. 11. ed. L&PM editora, 2015.
61 – *Rápido e Devagar. Duas Formas de Pensar*, Daniel Kahneman. Objetiva, 2012.
62 – *Antifrágil. Coisas que se Beneficiam com o Caos*, Nassim Nicholas Taleb. Editora Best Seller, 2014.
63 – *Davi e Golias. A Arte de Enfrentar Gigantes*, Malcolm Gladwell. Sextante, 2014.
64 – *O Paradoxo do Tempo*, Phillip Zimbardo, John Boyd. Fontanar, 2009.
65 – *Truques da Mente*, Stephen L. Macknik, Susana Martinez-Conde. Zahar, 2011.
66 – *Sobre a Brevidade da Vida*, Sêneca. L&PM Pocket Plus, 2017.
67 – "Divertida Mente", filme de animação. Disney-Pixar (2015).
68 – "Quem Somos Nós?", documentário. Playarte (2005).
69 – "Capitão Fantástico", filme. Electric City Entertainment. ShivHans Pictures (2016).
70 – "Funcionário do Mês", filme. Itália (2016).
71 – "Patch Adams, o Amor é Contagioso", filme. Estados Unidos (1998).
72 – "A Cabana", filme. Summit Entertainment. Estados Unidos (2017).
73 – *Metafísica da Saúde*, Valcapelli & Gasparetto. Volumes 1 a 4. Editora Vida & Consciência, 2000.
74 – "Hannah Arendt", filme. Heimatfilm Gmbh. França e Alemanha (2012).

75 – "As Aventuras de Pi", Filme. Fox 2000 Pictures. Estados Unidos (2012).

76 – *O Segredo da Dinamarca*, Helen Russell. LeYa, 2016.

77 – *Aristóteles para Todos*, Mortimer J. Adler. Coleção Educação Clássica. É Realizações Editora, 2010.

78 – *O que se Passa na Cabeça dos Cachorros*, Malcolm Gladwell. Sextante, 2010.

79 – *Originais. Como os Inconformistas Mudam o Mundo*, Adam Grant. Sextante, 2017.

80 – *A Quarta Dimensão*, David Yonggi Cho. 2. ed. revista e ampliada. Editora Vida, 2005.

81 – *Jejum. Uma Nova Terapia?*, Thierry de Lestrade. L&PM Editora, 2015.

82 – *Cândido ou O Otimismo*, Voltaire. L&PM Pocket, 2012.

83 – *Sem Causar Mal. Histórias de vida, morte e neurocirurgia*, Dr. Henry Marsh. nVersos Editora, 2015.

84 – *Edificar-se para a Morte. Das Cartas Morais a Lucílio*, Sêneca. Editora Vozes, 2016.

85 – *Rumo a Uma Vida Significativa. A Sabedoria do Rebe*, Menachem Mendel Schneerson. Domínio Público Editora, 1995.

86 – *Mythos*, Stephen Fry. Minotauro. Editora Planeta, 2018.

87 – *O Poder do Mito*, Joseph Campbell, Bill Moyers. Palas Athena Editora, 1990.

88 – "O Pensador", website acessado entre outubro de 2018 a março de 2019, de onde a maioria das citações foi extraída. https://www.pensador.com/

89 – *A Roda da Vida*, Elisabeth Kübler-Ross. Sextante, 2015.

90 – *A Alma Imoral*, Nilton Bonder. Rocco, 2015.

91 – *O Eu Sem Defesas*, Susan Thesenga. Cultrix, 1997.

92 – *A Coragem de Não Agradar*, Ichiro Kishimi, Fumitake Koga. Sextante, 2018.

93 – *Os 7 Hábitos das Pessoas Altamente Eficazes*, Stephen R. Covey. 2. ed. revista e ampliada. FranklynCovey. Editora Best Seller, 2017.

94 – *Eu Sou as Escolhas que Faço*, Elle Luna. Sextante, 2016.

95 – *O Cérebro que Cura*, Norman Doidge. Editora Record, 2016.

96 – *Aprendendo a Viver*, Clarice Lispector. Rocco, 2004.
97 – *A Coragem de Ser Imperfeito*, Brené Brown. Sextante, 2016.
98 – *Criando um Negócio Social*, Muhammad Yunus. Elsevier. Campus, 2010.
99 – *Diga-me Onde Dói e Eu te Direi Por Quê*, Michael Odul. Elsevier. Campus, 2003.
100 – *O Cérebro que se Transforma*, Norman Doidge. Editora Record, 2011.
101 – *O Menino do Dedo Verde*, Maurice Druon. Editora José Olympio, 1973.
102 – *O Alienista*, Machado de Assis. Editora FTD, 2014.
103 – *A Morte de Ivan Ilitch* e *Senhores e Servos*, Tosltoi. Ediouro, 2006.
104 – *The Courage to Teach*, Parker J. Palmer. Hardcover, 2017.
105 – *A República*, Platão. Martin Claret Editora, 2002.
106 – *Biografia e Doença*, Angélica Alves Justo, Gudrun K. Burkhard. Editora Antroposófica, 2018.
107 – *A Psicanálise dos Contos de Fadas*, Bruno Bettelheim. Editora Paz e Terra, 2009.
108 – *Blink. A Decisão Num Piscar de Olhos*, Macolm Gladwell. Sextante, 2016.
109 – *O Teste do Marshmallow*, Walter Mischel. Editora Objetiva, 2016.
110 – *Medicina Centrada na Pessoa*, Moira Stewart, Judith Belle Brown, Wayne Weston, Ian McWhinney, Carol McWilliam, Thomas Freeman. SBMFC. Artmed, 2017.
111 – "Modinha para Gabriela", música de Dorival Caymmi.
112 – "Metamorfose Ambulante", música de Raul Seixas.
113 – "Senza Fare Sul Serio", música de Matteo Buzzanca, Malika Ayane, Luigi de Crescenzo, Edwyn Clark Roberts.
114 – "Satisfaction", música de Keith Richards, Mick Jagger (The Rolling Stones).
115 – "Paciência", música de Carlos Eduardo Carneiro de Albuquerque Falcao, Oswaldo Lenine Macedo Pimentel (Lenine).
116 – "Mercedez Benz", música de Bob Neuwirth, Janis Joplin, Michael Mcclure.

117 – "Brincar de Viver", música de Guilherme Arantes, Jon Marcus Lucien (Maria Bethânia).
118 – "93 Million Miles", música de Jason Mraz, Mike Daly, Michael Natter.
119 – "Tocando em Frente", música de Almir Sater.
120 – "Man in The Mirror", música de Glen Ballard, Siedah Garrett (Michael Jackson).
121 – "Dust in the Wind", música de Kerry Livgren, Kerry A Livgren (Kansas).
122 – "Under Pressure", música de David Bowie, John Richard Deacon, Brian Harold May, Freddie Mercury, Roger Meddows Taylor (Queen & David Bowie).
123 – "Era Uma Vez", música de Kell Smith.
124 – "Another Brick in The Wall", música de Roger Waters (Pink Floyd).
125 – "Time", música de David Jon Gilmour, Nicholas Berkeley Mason, George Roger Waters, Richard William Wright (Pink Floyd).
126 – "Wish You Were Here", música de David Gilmour, Roger Waters (Pink Floyd).
127 – "Epitáfio", música de Sérgio de Britto Álvares Affonso, Eric Silver (Titãs).
128 – "Carmina Burana", música de Carl Orff.
129 – "É Preciso Saber Viver", música de Erasmo Carlos, Roberto Carlos Braga (Titãs).
130 – "Enquanto Houver Sol", música de Sergio Affonso, Sergio de Britto Alvares Affonso (Titãs).
131 – "Sound of Silence", música de Paul Simon (Disturbed).
132 – "One Moment in Time", música de Albert Hammond, John Bettis (Whitney Houston).
133 – "Pais e Filhos", música de Renato Russo, Dado Villa-Lobos, Marcelo Bonfa (Legião Urbana).
134 – "O que é? O que é?", música de Luiz Gonzaga (Gonzaguinha).
135 – "True Colors", música de Billy Steinberg, Tom Kelly (Cyndi Lauper).
136 – "Metade", música de Oswaldo Montenegro.

137 – "Quem é que Não Quer Ser Feliz", música de Edvaldo Santana.
138 – "Trem Bala", música de Ana Vilela.
139 – "Me Curar de Mim", música de Flaira Ferro.
140 – "Balada do Louco", música de Arnaldo Baptista, Rita Lee Jones Carvalho (Os Mutantes).
141 – "Monte Castelo", música de Renato Russo (Legião Urbana).
142 – "Agora só Falta Você", música de Luis Sergio Carlini, Rita Lee Jones de Carvalho.
143 – *Descobrindo Sua Força Espiritual*, James Van Praagh. Sextante, 2013.
144 – *A Árvore Generosa*, Shel Silverstein, Fernando Sabino. Companhia das Letrinhas, 2017.
145 – *Uma Visão Ayurvédica da Mente*, Dr. David Frawley. Editora Pensamento, 1999.
146 – *A Face Oculta da Medicina*, Paulo Cesar Fructuoso. 2. ed. Educandário Social Lar de Frei Luiz, 2012.
147 – *O Deus Cósmico*, Valnei Tavares. Oikos Editora, 2014.
148 – *O Discurso do Método*, René Descartes. LP&M, 2005.
149 – *Fernão Capelo Gaivota*, Richard Bach. Editora Record, 2017.
150 – *Muitas Vidas, Muitos Mestres*, Brian Weiss. Sextante, 2013.
151 – *Fora de Série. Outliers*, Malcolm Gladwell. Sextante, 2008.
152 – *O Ponto da Virada*, Malcolm Gladwell. Sextante, 2009.
153 – *Positivamente Irracional*, Dan Ariely. Campus Elsevier, 2010.
154 – *O Livro dos Símbolos. Reflexões Sobre Imagens Arquetípicas*, Ami Ronnberg, Kathleen Martin. Taschen, 2010.
155 – *O Poder da Presença*, Amy Cuddy. Sextante, 2016.
156 – "O Experimento de Milgram", documentário. Netflix (2015).
157 – "Truques da Mente", série documental de National Geographic. Netflix (2011).
158 – *Confissões*, Santo Agostinho. 6. ed. Vozes de Bolso, 2017.

Este livro foi composto em Minion Pro 11 pt e
impresso pela gráfica Viena em papel Pólen Soft 80 g/m².